Bewegingsanalyse

A.A. Leeuwenhoek
P. Verschoor

veertiende herziene druk

Een uitgave van de Stichting Vrienden van de Halo

ISBN 90-800238-1-7

voorwoord

Bij de studie aan een Academie voor Lichamelijke Opvoeding doet zich bij een aantal studenten het probleem voor van onvoldoende kennis van de bewegingswetten. Een analyse van de bewegingen en de daarbij behorende vertaling naar de methodiek is dan een probleem.
Daarnaast laat de toepassing van mechanische principes in de praktijk van de sportbeweging voor studenten die wel natuurkunde in hun pakket hebben ook te wensen over.

In dit boek is getracht een practische benadering te geven, die bij beide groepen tot een beter inzicht in het bewegen kan leiden.

Daarnaast denken wij dat dit boek in een behoefte kan voorzien bij andere Academies, mdgo-sb's, sommige bondsopleidingen, trainers en sporters.

Voor de taalkundige correctie van Dhr. H. Seele zijn wij zeer erkentelijk.

A.A.Leeuwenhoek
P.Verschoor

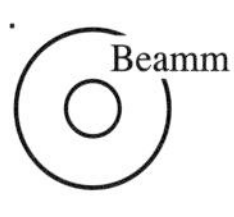

BEAMM op CD-ROM

Ter ondersteuning van het boek is het programma "BEAMM" (BEwegingsAnalyse Multi Media) beschikbaar op CD-ROM. Overal waar u in de kantlijn "Beamm" ziet is op dit onderwerp ondersteuning beschikbaar op de CD-ROM.

BEAMM bestaat uit drie delen:

a.- de uitlegomgeving legt de moeilijke delen van het boek uit met behulp van o.a. 130 videofragmenten uit de sport en het bewegingsonderwijs en onge - veer 50 animaties van bewegingen..

b.- de oefenomgeving waarbij het mogelijk is interactief met alle vragen uit het boek te oefenen. Het programma geeft feed-back op het handelen van de gebruiker.

c.- de toetsomgeving.

BEAMM is beschikbaar met MPEG formaat digitaal video.

Inhoud

inleiding

Inzicht in het ontstaan en verloop van een beweging is noodzakelijk om te kunnen komen tot een methodische aanpak bij het aanleren van een beweging. Bovendien kunnen we dan bij een foutieve uitvoering de juiste aanwijzingen geven.
We moeten, zowel bij het aanleren als bij de foutencorrectie, onderscheid kunnen maken tussen oorzaak en gevolg. De oorzaak moet worden gecorrigeerd en niet het gevolg.

Om tot een bewegingsanalyse te komen is basiskennis van de mechanica noodzakelijk.

Mechanica is een onderdeel van de natuurkunde. Zij omvat de volgende gebieden:

- de kinematica,
- de dynamica of kinetica,
- de statica of evenwichtsleer.

Bij de kinematica bepalen we ons tot de beschrijving van de bewegingen zonder op de oorzaken van die bewegingen in te gaan.
Bij de dynamica of kinetica worden de oorzaken van de bewegingen in de beschouwing betrokken. Daar de definitie van kracht luidt: "kracht is de oorzaak van beweging of bewegingsverandering", wordt de dynamica ook wel aangeduid met krachtenleer.

In wezen is de statica een bijzonder deel van de dynamica. De resulterende kracht resp. het resulterende koppel is 0 waardoor geen standsverandering optreedt. Wel kan in een evenwichtssituatie verplaatsing (translatie of rotatie) optreden (statisch, resp. dynamisch evenwicht).

Een strikte scheiding tussen kinematica en kinetica is in de praktijk weinig zinvol. Beide gebieden gaan snel in elkaar over. Zo zal bij de beschrijving van de eenparige beweging en eenparig versnelde beweging (kinematica) al snel de oorzaak van de eenparigheid en de versnelling aan de orde komen, nl. de afwezigheid, resp. aanwezigheid van een resulterende kracht. De kinematica is dan overgegaan in de kinetica. Hetzelfde doet zich voor bij de cirkelbeweging en de kogelbaan. Ook hier zal de bewegingsbeschrijving al snel worden gecombineerd met de oorzaken die leiden tot een cirkelbeweging, resp. een parabolische curve. In feite is de kinetica te beschouwen als de completering van de kinematica. De behandeling van de stof is op deze zienswijze gebaseerd.

Biomechanica is dat deel van de mechanica dat zich bezighoudt met de menselijke houdingen en bewegingen. Bij de keuze van de stof hebben wij ons beperkt tot de gebieden die van belang zijn voor de analyse van de bewegingstechnieken in de sport en de lichamelijke opvoeding.

Hoofdvormen van beweging

Naar de aard van de beweging kan men twee hoofdvormen onderscheiden:

- Translatie: verplaatsing van het zwaartepunt, terwijl de lichaamsdelen in dezelfde stand blijven ten opzichte van de omgeving.
- Rotatie: draaiing van lichaamsdelen om het zwaartepunt, terwijl het zwaarte punt op dezelfde plaats blijft t.o.v. de omgeving (het referentiepunt).

Voorbeelden van translatie : lift, paternosterlift, reuzenrad.
In de sport: rechtstandige sprong, in rechte lijn lopen, fietsen, zwemmen, driesprong.

Voorbeelden van rotatie : vast bevestigde wielen en tandwielen, centrifuge.
In de sport: pirouette, molendraai, ruiterdraai.

Zuivere voorbeelden van translatie en rotatie zijn relatief zeldzaam in de sport. Zo kunnen we bijvoorbeeld bij lopen en fietsen wel spreken van translatie als we de romphouding als uitgangspunt nemen. Kijken we naar de benen dan is van een zuivere vorm van translatie geen sprake meer.
Verreweg de meeste menselijke bewegingen zijn een combinatie van translatie en rotatie: koprol, overslag, radslag, salto, hoogspringen, discuswerpen, kogelstoten, reuzendraai, etc.

Het begrip puntmassa

In de traditionele mechanicaboeken wordt uitgegaan van bewegingen van een zogenaamde puntmassa. Op deze wijze kunnen de translatiewetten, los van eventuele rotaties, behandeld worden. Immers, een punt heeft geen oppervlakte en inhoud (maar nog wel een massa) en kan dus niet roteren. Bij een dergelijk "stoffelijk punt" of massapunt of puntmassa is alleen sprake van translatie.
Het begrip puntmassa is voor praktisch ingestelde mensen, bijvoorbeeld voor hen die een studie volgen aan een academie voor lichamelijke opvoeding, een abstractie. Zij denken niet in de zin van: "hoe beweegt dit massapunt", maar in de zin van: "wat gebeurt bij een hardloper, een turner, een wielrenner, etc". Daar gaat hun interesse naar uit. Daarom zullen wij bij globale berekeningen in de sport het lichaamszwaartepunt bij de translaties als uitgangspunt nemen.

1 Bewegingen

TRANSLATIE

De eenparige beweging

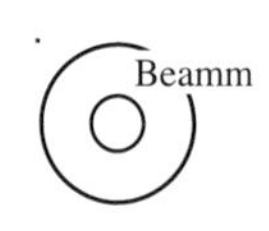

Strikt genomen is een eenparige beweging een beweging, waarbij de snelheid volkomen constant is, zowel in de kleinste als in de grootste tijdseenheden. 1m/s betekent dan 60m/min en 3,6 km/u, maar ook 1dm/0,1 sec en 1 cm/ 0,01 sec. Een dergelijke beweging komt in de praktijk niet voor. In deze zin kan het begrip "eenparige beweging" dus niet gehanteerd worden. Dit kan wel als we het begrip "gemiddelde snelheid" invoeren. De definitie wordt dan:

Een eenparige beweging is een beweging waarbij de gemiddelde snelheid constant is.

De wijzer van een stopwatch zal in 1 minuut 1 omwenteling maken, in 5 minuten 5 omwentelingen. Per seconde verspringt de wijzer echter met versnellingen en vertragingen. In de strikte betekenis van het woord is er dus geen sprake van een zuiver eenparige beweging. In de zin van de tweede definitie kan men deze beweging als eenparig beschouwen.

Andere voorbeelden:

- Constante rondetijden bij het schaatsenrijden, hardlopen, wielrennen, etc. Binnen elke ronde kunnen tempoverschillen optreden, over een aantal ronden is de gemiddelde snelheid constant.

- Een constant aantal afgelegde kilometers per uur (bijvoorbeeld 50) betekent in 1 uur 50 km, in 3 uur 150 km, in 10 uur 500 km. Binnen elk uur zijn er wellicht momenten van stilstand, hoge snelheid en lage snelheid. In de strikte zin geen eenparigheid, in de zin van de "gemiddelde snelheid" wel eenparigheid.

In deze laatste zin zullen we de eenparige beweging bezien.

De formule voor de eenparige beweging

Stel de gemiddelde snelheid = 3 m/s , dan is:

De afgelegde weg in 1 sec : 3 m = 1 x 3 m
De afgelegde weg in 2 sec : 6 m = 2 x 3 m
De afgelegde weg in 3 sec : 9 m = 3 x 3 m
De afgelegde weg in t sec : t x 3 m = t x v m

De formule luidt dus $s_t = t \times v$. Doorgaans wordt deze geschreven als:

$$\boxed{s_t = v.t}$$

De eenparig versnelde beweging

Is bij de eenparige beweging de snelheid constant, bij de eenparig versnelde beweging is de versnelling constant, d.w.z.: elke seconde neemt de snelheid met eenzelfde waarde toe. De versnelling wordt uitgedrukt in een aantal meters per seconde in het kwadraat. Hoe komen we daaraan?
Stel dat vanuit stilstand de snelheid elke seconde met 5 m/s toeneemt. De versnelling is dan 5 m/s in iedere seconde, d.w.z.:

$a = 5\ m/s/s = 5m/s : s = 5m / s \times 1 / s = 5m / s^2$

Veelal wordt dit geschreven als $a = 5m.s^{-2}$.
De definitie wordt dan:

Een eenparig versnelde beweging is een beweging, waarbij de snelheid in elke seconde met eenzelfde waarde toeneemt.

Een eenparig versnelde beweging kan plaatsvinden:

- zonder beginsnelheid ($v_o = 0$)
- met beginsnelheid ($v_o = x$ m/s)

Bij beide bewegingen kunnen we weer 3 diagrammen samenstellen:

- het s-t-diagram,
- het v-t-diagram,
- het a-t-diagram.

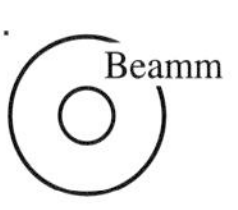

Diagrammen en formules van de eenparig versnelde beweging zonder beginsnelheid

Het s-t-diagram (fig.7)

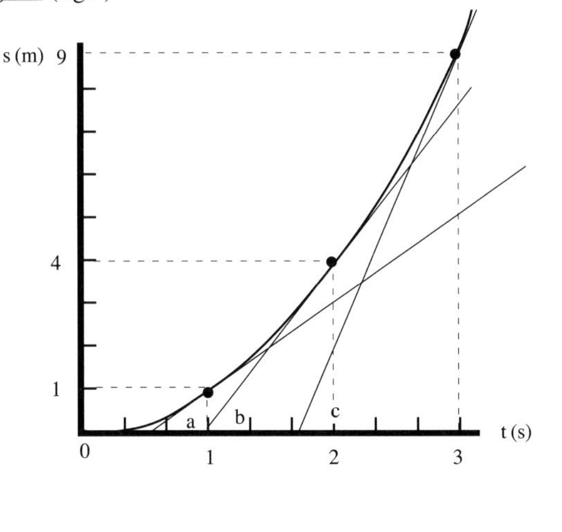

fig.7

Daar de afgelegde weg elke volgende seconde groter is, zullen we een oplopende curve zien. Deze curve is een parabool (een dalparabool), die begint in het 0-punt.

Ook dit s-t-diagram geeft 2 informaties:

- over de afgelegde weg in een bepaalde tijd,
- over de snelheid op een bepaald moment, via de tangens van de hoek die de raaklijn aan de curve (op dat moment) met de t-as maakt. Immers, de raaklijn geeft de richting van de curve op dat moment aan.
  Op het tijdstip t = 0 zal de raaklijn samenvallen met de t-as; v_o is dan tan 0° = 0 (eenparig versnelde beweging zonder beginsnelheid), v_1 = tan a , v_2 = tan b, v_3 = tan c.
  Daar hoek c is groter dan hoek b en hoek b groter dan hoek a, is er sprake van een toenemende snelheid.

De formule voor de snelheid:

Stel a = 3 m/s^2, dan is:

de snelheid na 0 sec = 0 m/s
de snelheid na 1 sec (v_1) = 3 m/s = 1 x 3 m/s
de snelheid na 2 sec (v_2) = 6 m/s = 2 x 3 m/s
de snelheid na 3 sec (v_3) = 9 m/s = 3 x 3 m/s
de snelheid na t sec (v_t) = t x 3 m/s = t x a m/s; hieruit volgt: v_t = t x a,

meestal wordt dit geschreven als : $v_t = a.t$

Het v-t-diagram (fig.11)

Stel $v_o = 5$ m/s en $a = 2$ m/s^2 .
Op het moment dat de versnelling begint is er reeds een snelheid $v_o = 5$ m/s. Vanaf dat moment neemt de snelheid elke seconde met 2 m/s toe, dus $v_o = 5$ m/s, $v_1 = 7$ m/s, $v_2 = 9$ m/s, $v_3 = 11$ m/s, enz.
De relatielijn wordt dan een rechte, die begint op het punt v = 5 en die een hoek ∂ maakt met de t-as.

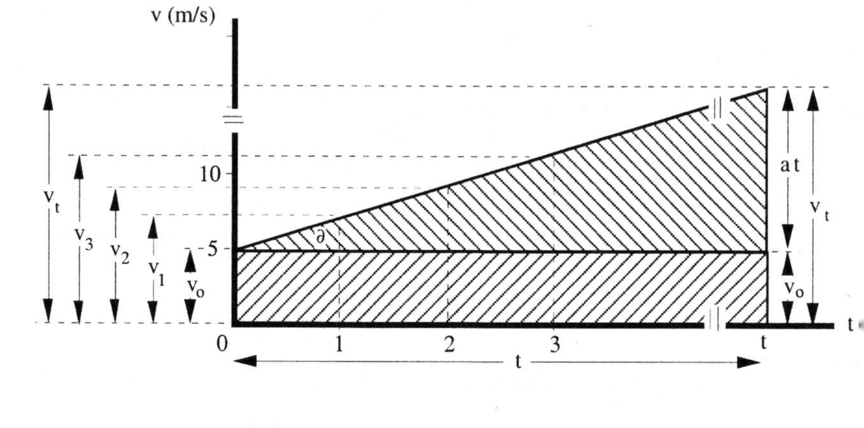

fig.11

De formule voor de snelheid

Uit het diagram volgt de snelheidsformule. De snelheid na t seconde (v_t) = de beginsnelheid (v_o) + de snelheidstoename door de versnelling (= a.t , zie v-t-diagram zonder v_o).

dus: $v_t = v_o + a.t$

De formule voor de afgelegde weg

Het v-t-diagram levert ons ook de formule voor de afgelegde weg. Zou de snelheid 5 m/s constant gebleven zijn, dan zou de afgelegde weg de oppervlakte van de gearceerde rechthoek bedragen (zie eenparige beweging). Door de snelheidstoename komt er echter de oppervlakte van de gearceerde driehoek bij (zie eenparig versnelde beweging zonder v_o). De totale afgelegde weg (s_t) wordt dus: oppervlakte rechthoek + oppervlakte driehoek = $v_o.t + 1/2\ at^2$,

dus: $s_t = v_o.t + 0{,}5\ at^2$

Het a-t-diagram

Dit is gelijk aan dat van de eenparig versnelde beweging zonder beginsnelheid (zie fig.9).

De eenparig vertraagde beweging

Een eenparig vertraagde beweging is een beweging waarbij de snelheid elke volgende seconde met dezelfde waarde afneemt.

Uiteraard is deze beweging alleen mogelijk als er beginsnelheid aanwezig (v_0) is.

diagrammen en formules van de eenparig vertraagde beweging

Het s-t-diagram (fig.12)

Daar hier sprake is van een afnemende snelheid, zal de afgelegde weg elke volgende seconde afnemen. De relatielijn wordt nu dus een dalende curve (een bergparabool), die gaat door het 0-punt.
Het s-t-diagram geeft ook hier weer 2 informaties:

- over de afgelegde weg in een bepaalde tijd,
- over de snelheid op een bepaald moment, via de tangens van de hoek die de raaklijn aan de curve (op dat monent) met de t-as maakt.
  v_0 = tan a, v_1 = tan b, v_2 = tan c. Daar hoek a is groter dan hoek b en hoek b is groter dan hoek c, is er sprake van een afnemende snelheid.

fig.12

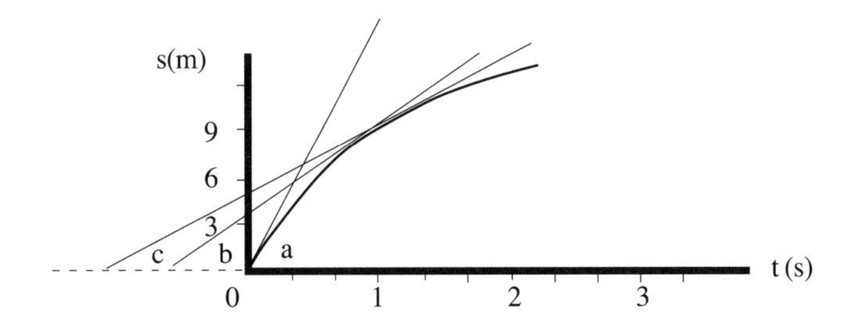

samenvatting

Eenparige beweging:	$s_t = v.t$
Eenparig versnelde beweging zonder v_o:	$s_t = 0,5\ a.t^2$
	$v_t = a.t$
Eenparig versnelde beweging met v_o:	$s_t = v_o t + 0,5\ at^2$
	$v_t = v_o + at$
Eenparig vertraagde beweging:	$s_t = v_o t - 0,5\ at^2$
	$v_t = v_o - at$

N.B. Gebruik makend van de differentiaalrekening:

$v = ds/dt$. Uit de formule $s_t = v_o t + 0,5at^2$ volgt door differentiëren de snelheidsformule: $v_t = v_o + at$.
$a = dv/dt$ Uit de formule $v_t = v_o + at$ volgt door differentiëren de versnelling a. De snelheid is daarom de "eerste afgeleide", de versnelling de "tweede afgeleide".

De niet eenparige versnelling en vertraging

De volledig eenparige versnelling, resp. vertraging komt in de praktijk van de sportbeweging weinig voor. Veelal zijn versnellingen en vertragingen wisselend. Soms is er sprake van een toenemende versnelling: een <u>progressief</u> versnelde beweging, soms van een afnemende versnelling: een <u>degressief</u> versnelde beweging. Hetzelfde kan uiteraard het geval zijn bij vertraagde bewegingen: een progressieve, resp. degressieve vertraging. De verschillende diagrammen krijgen dan een ander verloop. In onderstaande figuren 16 t/m 18 zijn die veranderingen in beeld gebracht t.o.v. de eenparige versnelling, resp. vertraging.

——— · · · · = eenparig versneld, resp. vertraagd

o o o o o o o o o = progressief versneld, resp. vertraagd

+ + + + + + + + + = degressief versneld, resp. vertraagd

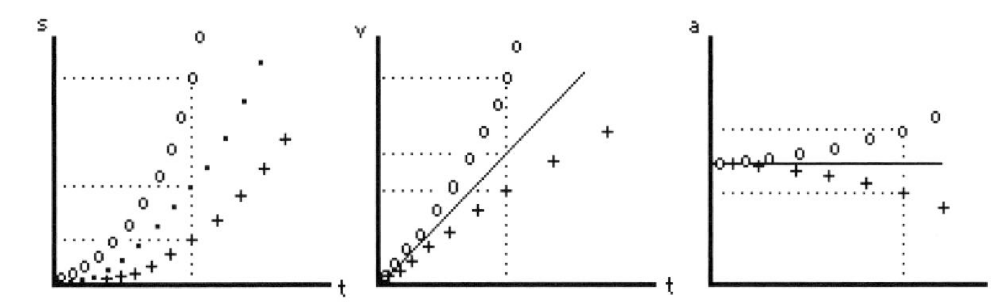

<u>De versnelde beweging zonder beginsnelheid</u> (fig.16)

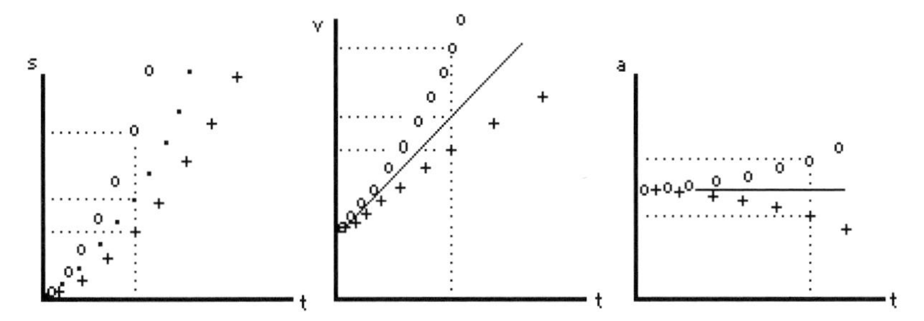

<u>De versnelde beweging met beginsnelheid</u> (fig.17)

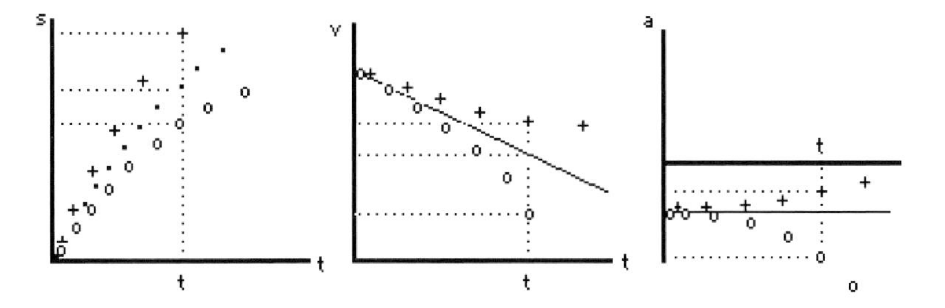

<u>De vertraagde beweging</u> (fig.18)

Praktijkvoorbeelden:

1.- Een atleet maakt in zijn training een zogenaamde versnellingsloop (steigerungsloop of climaxloop). De beweging wordt in beeld gebracht via een v-t-diagram (dit geeft demeest algemene informatie-Fig.19).

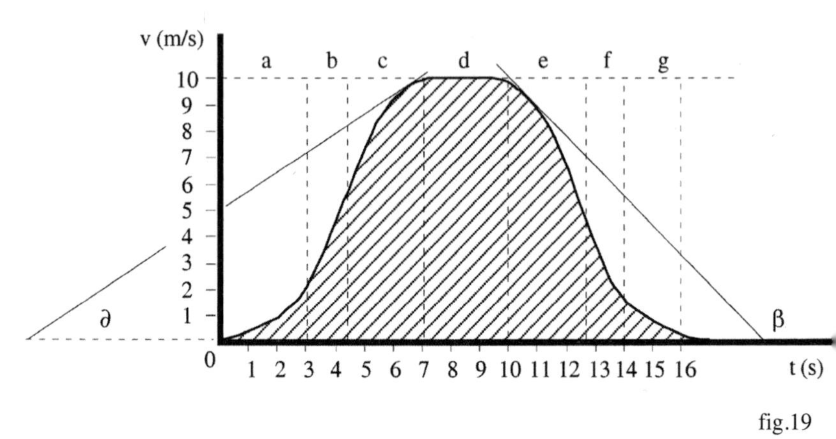

fig.19

<u>Welke informatie kunnen we uit dit v-t-diagram halen</u>?

--Tijdsduur: 16 sec.
--Topsnelheid: 10 m/s.
--Bewegingsverloop:
 -deel a: progressief versneld,
 -deel b: eenparig versneld,
 -deel c: degressief versneld,
 -deel d: eenparig,
 -deel e: progressief vertraagd,
 -deel f: eenparig vertraagd,
 -deel g: degressief vertraagd.
--$v_o = 0$.
--$v_t = 0$.
--De snelheid op ieder moment.
--De afgelegde weg op ieder moment (oppervlakte).
--De afgelegde weg in iedere seconde (oppervlakte).
--De totale afgelegde weg (oppervlakte).
--De versnelling tot t = 7 (tan ∂ positief).
--De vertraging tussen t = 10,2 en t = 16 (tan ß negatief).

N.B. De oppervlakte kan gemeten worden met een zogenaamde planometer.

2.- Een 100 m sprint in 10 sec wordt in beeld gebracht via een s-t-diagram, een v-t-diagram en een a-t-diagram (fig.20, 21 en 22).

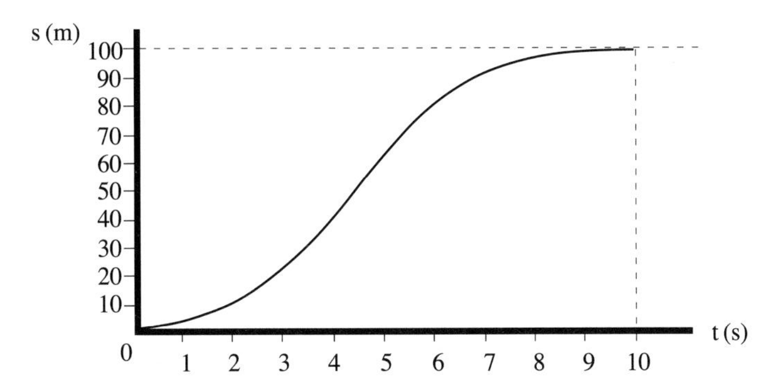

fig. 20

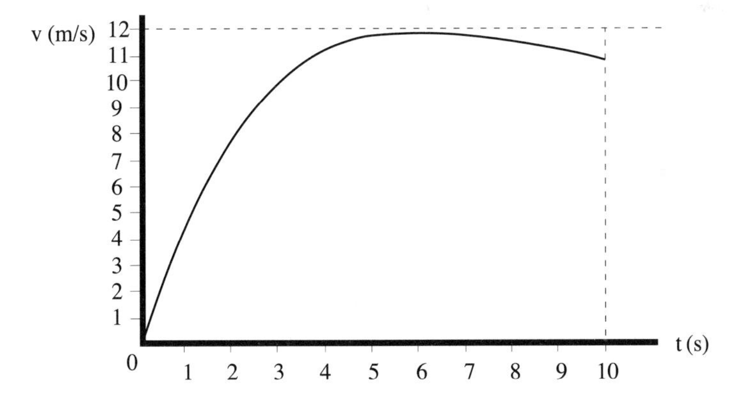

fig. 21

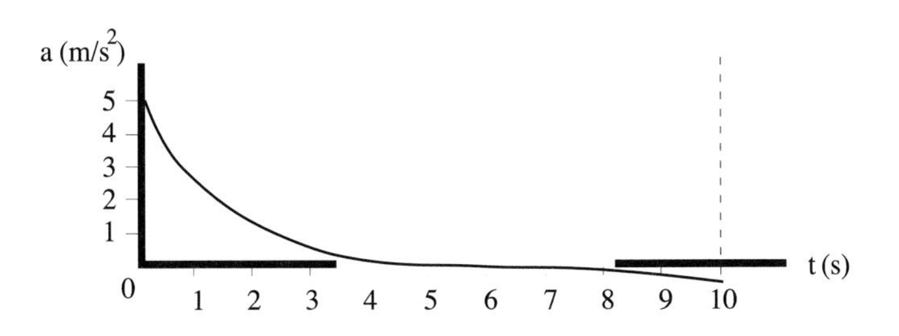

fig. 22

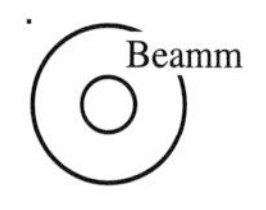

BEREKENINGEN

Eenparige bewegingen:

$s_t = v.t$

1.-Een 5000 m loper loopt een tijd van 14.20 min (14 min 20 sec).
Wat is zijn gemiddelde snelheid?

2.-Een 10.000 m loper loopt een gemiddelde snelheid van 6 m/s.
Wat is zijn eindtijd?

3.-Een wielrenner rijdt de 1 km-tijdrit met een gemiddelde snelheid van 54 km/h.
Welke tijd maakt hij?

4.-Een wielrenner legt de 4 km-achtervolging af in 4 min 30 sec.
Wat is zijn gemiddelde snelheid?

5.-Een wielrenner rijdt gedurende 10 minuten een constante snelheid van 36 km/h.
Welke afstand legt hij af?

6.-Een schaatsenrijder rijdt op de 10.000 m constante rondes van 35 s; één ronde is 400 m.
Wat is zijn gemiddelde snelheid?

7.-Als het wereldrecord op de 10.000 m bij het schaatsenrijden staat op 14 min 06 sec.
Wat is dan de gemiddelde rondetijd?
Eén ronde = 400 m.

Eenparig versnelde bewegingen zonder beginsnelheid

$s_t = 0{,}5at^2 \qquad v_t = a.t$

8.-Een schoonspringer laat zich uit handstand van de 10 m toren naar beneden val len.
a.Hoe lang zweeft hij door de lucht?
b.Met welke snelheid raakt hij het water?
De versnelling van de zwaartekracht = g = 10 m/s^2.

9.-Iemand springt van een hoogte van 1.25 m (diepspringen) op de grond.
a.Hoe groot is de zweeftijd?
b.Met welke snelheid landt hij? g = 10 m/s^2.

10.-Een parachutist komt neer met een snelheid van 18 km/h.
Van welke hoogte bij het "diepspringen " is de landingssnelheid even groot?
g = 10 m/s^2.

11.-Een parachutist trekt na 5 sec zijn parachute open.
a.Hoe groot is zijn snelheid dan? (luchtweerstanden buiten beschouwing gelaten)
b.Welke afstand is hij gevallen?

Eenparig versnelde bewegingen met beginsnelheid + eenparig vertraagde bewegingen

$s_t = v_o t + 0{,}5at^2$ $v_t = v_o + at$

(bij een eenparig vertraagde beweging schrijven we, in de formule , voor het + teken een -)

12.-Een wielrenner rijdt met een constante snelheid van 6 m/s. Hij versnelt nu gedurende 3 s met een constante versnelling van 2 m/s^2.
a.Hoe groot is zijn snelheid na 3 s?
b.Hoe groot is de afgelegde weg in deze 3 s?

13.-Een wielrenner remt vanuit een snelheid van 36 km/h af met een constante vertraging van 2 m/s^2.
a.Hoe lang duurt het voor hij stilstaat?
b.Hoe lang is zijn remweg?

14.-Een automobilist moet vanuit een snelheid van 144 km/h een noodstop maken; zijn vertraging is 7 m/s^2.
a.Hoe lang duurt het voor hij stilstaat?
b.Hoe lang is zijn remweg?

15.-Bereken hetzelfde vanuit een snelheid van 72 km/h?

16.-Een bal wordt rechtstandig omhoog gegooid met een snelheid van 20 m/s; op het moment van loslaten is de bal 2 m boven de grond.
a.Hoe groot is de stijgtijd?
b.Hoe groot is de stijghoogte?
c.Hoe groot is de valtijd?
d.Met welke snelheid komt de bal op de grond?

17.-Gegeven is de volgende beweging:
duur: 12 s,
beginsnelheid = 0,
gedurende 4 s eenparig versneld, a = 4 m/s^2,
vervolgens eenparig gedurende 2 s,
vervolgens eenparig vertraagd gedurende 2 s, a = -5 m/s^2,
de beweging eindigt eenparig gedurende 4 s.

a.Hoe groot is s_4?
b.Hoe groot is v_4?
c.Hoe groot is s_6?
d.Hoe groot is s_8?
e.Hoe groot is v_8?
f.Hoe groot is de totale afgelegde weg?

18.-Breng de beweging uit vraagstuk 17 in beeld via het s-t-diagram.

19.- Toon in het s-t-diagram aan dat:
a.De snelheid na 4 s klopt met de berekende waarde in 17 b.
b.De snelheid na 8 s klopt met de berekende waarde in 17 e.

20.- Breng de beschreven beweging (beweging uit vraagstuk 17) in beeld via het v-t-diagram.

21.- Toon in het v-t-diagram van vraag 20 aan dat:
a.de afgelegde weg klopt met de berekende waarde in 17 f.
b.de versnelling in het eerste deel van de beweging inderdaad = 4 m/s^2.
c.de vertraging in het derde deel van de beweging = 5 m/s^2.

22.- Breng de beschreven beweging uit vraagstuk 17 in beeld via het a-t-diagram.

23.- Een motorrijder (totale bewegingsduur = 16 s) rijdt met een constante snelheid van 25 m/s. Na 3 s moet hij afremmen voor een vrachtwagen. Hij doet dat met een constante vertraging van 3 m/s^2, gedurende 4 s. Het passeren gebeurt met een constante versnelling van 4 m/s^2, gedurende 4 s. Na het passeren rijdt hij met de dan bereikte snelheid nog 5 s door.

a. Hoe groot is de afgelegde weg in de eerste 3 s?
b. Hoe groot is de snelheid na het afremmen?
c. Hoe groot is de afgelegde weg tijdens het afremmen?
d. Hoe groot is de snelheid na het passeren?
e. Hoe groot is de afgelegde weg gedurende het passeren?
f. Hoe groot is de afgelegde weg in de laatste 5 s?
g. Hoe groot is de totale afgelegde weg?

24.- Breng de beschreven beweging (vraag 23) in beeld via het s-t-diagram.

25.- Toon in het s-t-diagram, van de beweging uit vraagstuk 23, aan dat:
a.de snelheid in de eerste 3 s inderdaad 25 m/s is.
b.de eindsnelheid klopt met de berekende waarde uit 23 d.

26.- Breng de beschreven beweging (vraag 23) in beeld via het v-t-diagram.

27.- Toon in het v-t-diagram van vraag 26 aan dat:
a.de totale afgelegde weg klopt met het gevondene in 23 g,
b.de vertraging bij het afremmen inderdaad 3 m/s^2 is,
c.de versnelling tijdens het passeren inderdaad 4 m/s^2 is.

28.- Breng de beweging (vraag 23) in beeld via het a-t-diagram.

29.- Gegeven de volgende beweging:

$v_0 = 0$,
duur: 10 s,
de eerste 4 s eenparig versneld (a = 2 m/s^2),
de volgende 3 s eenparig,
de laatste 3 s eenparig vertraagd,
$v_{10} = 2$ m/s.

a. Hoe groot is s_4?
b. Hoe groot is v_4?
c. Hoe groot is s_7?
d. Hoe groot is de vertraging in de laatste 3 s?
e. Hoe groot is de afgelegde weg in de laatste 3 s?
f. Hoe groot is de totale afgelegde weg?

30.- Breng de beschreven beweging in beeld via het s-t-diagram.

a.Toon in dit diagram aan dat v_4 klopt met de berekende waarde in 29b.

31.- Breng de beschreven beweging in beeld via het v-t-diagram.

a.Toon in het v-t-diagram aan dat s_{10} klopt met het berekende in 29f.
b.Toon in het v-t-diagram aan dat de versnelling in het eerste deel inderdaad 2 m/s^2 is.
c.Toon in het v-t-diagram aan dat de vertraging in het laatste deel klopt met het gevonden in 29d.

32.- Breng de beschreven beweging in beeld via het a-t-diagram.

2 

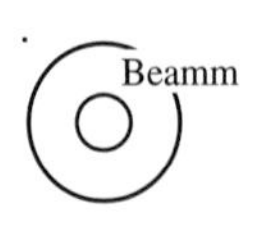

Er zijn grootheden die door hun grootte volledig zijn bepaald, bijv.: lengte breedte, hoogte, oppervlakte, inhoud, temperatuur, tijd, massa.
Dergelijke grootheden noemt men scalaire grootheden of scalars.
Er zijn echter ook grootheden die naast hun grootte nadere aanduidingen ver eisen.

Grootheden die een richting en een aangrijpingspunt hebben noemt me vectoren of vectorgrootheden.

Voorbeelden:
kracht, impuls, gewicht, koppel, snelheid, versnelling.
Een vector wordt aangeduid met een pijl van een bepaalde grootte en ee bepaalde richting, die in een bepaald punt aangrijpt (fig 23).

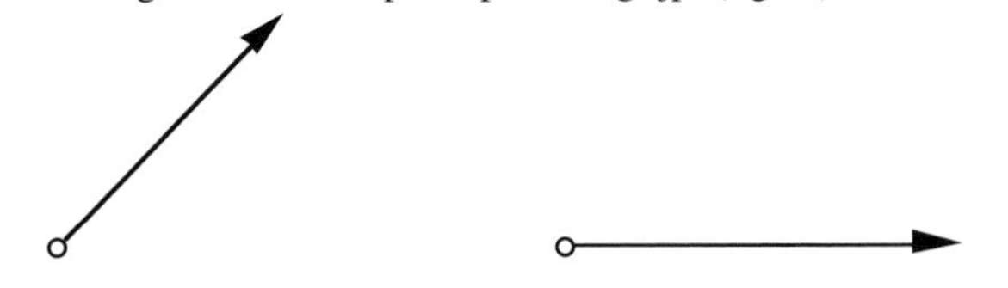

fig.2

Scalaire grootheden kan men zonder meer optellen (mits we uiteraard dezelf de eenheden gebruiken). We spreken dan van de algebraïsche som.

Vectoren kunnen we niet zonder meer optellen. we moeten ze samenstellen tc één resulterende vector, de zgn. resultante, via de parallellogramconstructie.

Bijvoorbeeld:
2 krachten: F_1 en F_2, hebben hetzelfde aangrijpingspunt (fig.24). De resultan te R is dan de vectorsom.

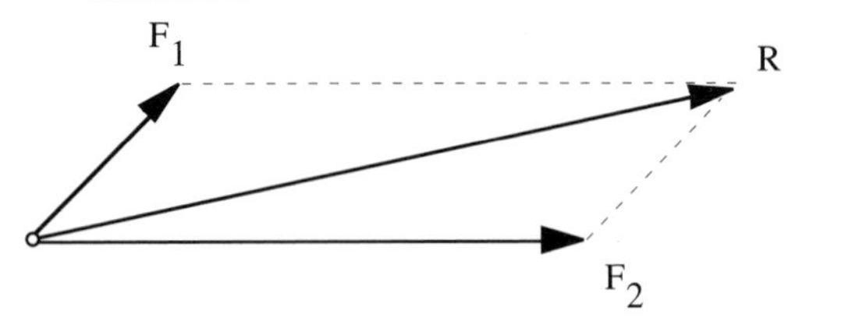

fig.24

Om aan te geven dat we hier te maken hebben met vectoren en een vectorsor wordt boven de grootheden een vectorteken aangebracht. Soms zien we:

$\overrightarrow{F_1}$ soms $\overrightarrow{F_1}$ soms $\overrightarrow{F_1}$

Wij kiezen voor het laatste. Als we bij fig.24 zouden schrijven $R = F_1 + F_2$ zou dit onjuist zijn. R is namelijk niet de algebraïsche som. Om aan te geve dat we met een vectorsom te maken hebben, schrijven we:

$$\overrightarrow{R} = \overrightarrow{F_1} + \overrightarrow{F_2}$$

Hebben we met meer dan 2 vectoren te maken, met een gemeenschappelijk aangrijpingspunt, bijvoorbeeld de krachten F_1, F_2 en F_3, dan stellen we eerst F_1en F_2 samen tot R_1 en daarna F_3 met R_1, tot R (fig.25).

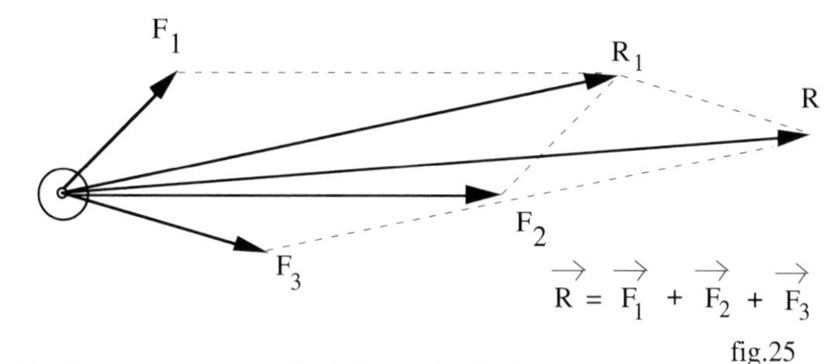

fig.25

In twee gevallen is de vectorsom wel gelijk aan de algebraïsche som:

a. Als de hoek tussen twee vectoren 0° bedraagt (fig.26). De vectoren werken dan in dezelfde richting. De resultante werkt dan ook in de richting van de beide vectoren.

fig. 26

Als we nu schrijven dat $R = F_1+F_2$, is dat niet onjuist. Toch schrijven we:

$$\vec{R} = \vec{F_1} + \vec{F_2}$$

We doen dit om aan te geven dat we met een vectorsom te maken hebben.

b. Als de hoek tussen twee vectoren 180° bedraagt (fig.27). De vectoren werken dan in tegengestelde richting. De resultante werkt dan in de richting van de grootste vector en is gelijk aan "het verschil" tussen beide vectoren.

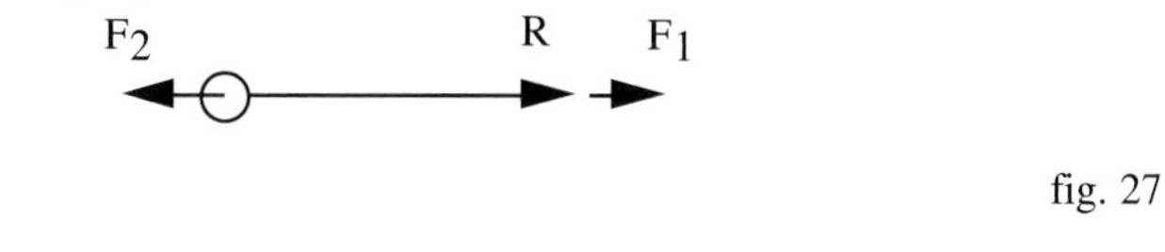

fig. 27

Toch schrijven we niet:

$\vec{R} = \vec{F_1} - \vec{F_2}$ maar $\vec{R} = \vec{F_1} + \vec{F_2}$

De richting van de grootste vector wordt als positief gekozen en de richting van de kleinste vector als negatief. F_1 heeft dan een positieve waarde en F_2 een negatieve waarde. Het "verschil" is dan ook de algebraïsche som.

3 Principes van Newton

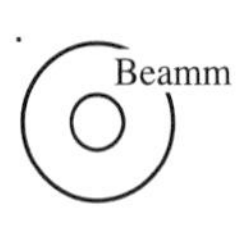

In het voorgaande hebben we gezien dat kracht is gedefinieerd als:

kracht is de oorzaak van beweging of bewegingsverandering.

Werkt een resulterende kracht op een in rust verkerend lichaam in, dan komt dit lichaam in beweging. Is die resulterende kracht constant, dan ontstaat een eenparig versnelde beweging zonder beginsnelheid.
Gaat dezelfde constant resulterende kracht op een bepaald moment inwerken op een in een eenparige beweging verkerend lichaam, dan krijgt dit bewegende lichaam dezelfde versnelling. Er ontstaat dan een eenparig versnelde beweging met beginsnelheid.
Resulteert een op een lichaam uitgeoefende kracht niet in een beweging of bewegingsverandering (d.i. een versnelling), dan betekent dit dat er nog één of meer andere krachten in tegengestelde richting werken, zodanig dat de resulterende kracht nul is. Voorbeeld:

Een volgeladen wagon (fig.33)gaat zich pas in beweging zetten bij een kracht van 1200 N. Iemand oefent een kracht uit van 1000 N. Van de totaal aanwezige weerstand wordt 1000 N "gebruikt" om de duwkracht te neutraliseren. De resulterende kracht = 0 en de wagon blijft op zijn plaats.

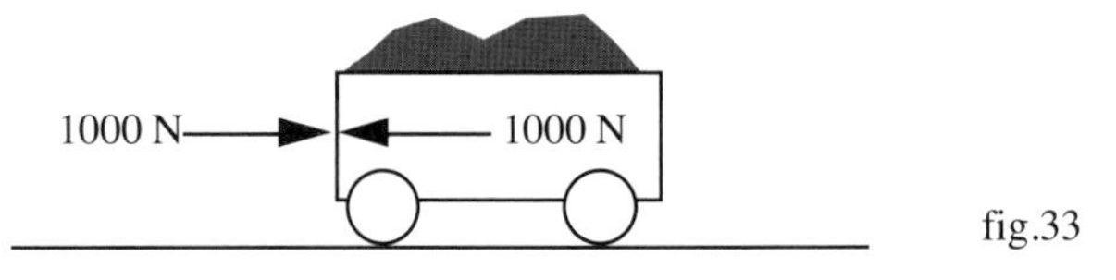

fig.33

Dus:
- Is er een resulterende kracht, dan ontstaat beweging.
- Is er geen resulterende kracht dan is het lichaam óf in rust óf in eenparige beweging.

De grondbeginselen van Newton zijn:

- Het traagheidsprincipe, ook wel het inertieprincipe of volhardingsprincipe genoemd,
- het onafhankelijkheidsprincipe / F=ma,
- het actie-reactie principe

Het traagheidsprincipe

Een lichaam in rust zal zich door de "traagheid" van de materie "verzetten" tegen het in beweging komen. Komt het lichaam toch in beweging, dan is hiervoor een kracht nodig. Een lichaam in beweging zal zich om dezelfde reden verzetten tegen het tot stilstand komen. Komt het lichaam toch tot stilstand, dan is hiervoor ook een kracht (een tegengestelde remkracht) nodig.
Elk lichaam zal dus, door de traagheid van de materie, trachten te volharden in de toestand waarin het verkeert.

Het onafhankelijkheidsprincipe

De uitwerking van een kracht op een lichaam is onafhankelijk van:

a.-de toestand waarin het lichaam verkeert (rust of beweging).
Eenzelfde kracht geeft eenzelfde versnelling aan een lichaam, of het in rust, dan wel in beweging verkeert. Voorbeeld:
Een kracht die in een bepaalde tijd een stilstaande auto op 30 km/h brengt, zal in dezelfde tijd een rijdende auto van 30 km/h op 60 km/h brengen (de luchtweerstand laten we buiten beschouwing).

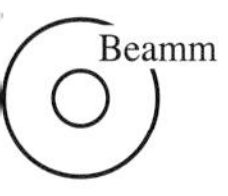

b.-van eventuele andere krachten die op het lichaam inwerken; d.w.z.: elke kracht heeft zijn eigen uitwerking. Voorbeeld:
Een helicopter hangt stil in de lucht op 100 m hoogte (fig.34). Uit de helicopter laat men een loden kogel naar beneden vallen. De valtijd wordt gemeten. Vervolgens doet men hetzelfde vanaf dezelfde hoogte vanuit een helicopter die zich in horizontale richting met een snelheid van 200 km/h verplaatst(fig.35). De tijd die de loden kogel nodig heeft om de grond te bereiken blijkt dezelfde te zijn. De eerste kogel valt loodrecht, de tweede kogel beschrijft een parabolische kogelbaan. Toch zijn de valtijden gelijk. Dit is te verklaren uit het onafhankelijkheidsprincipe: elke kracht heeft zijn eigen uitwerking: de zwaartekracht veroorzaakt de verticale verplaatsing, de snelheid van de helicopter veroorzaakt de horizontale verplaatsing. In beide gevallen is de valhoogte gelijk en dus ook de valtijd gelijk.

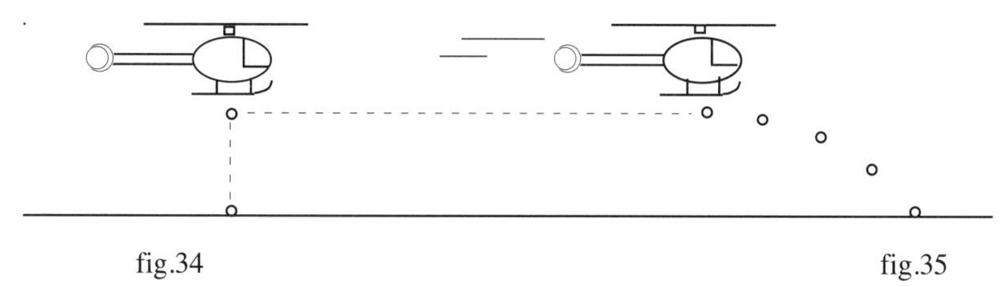

fig.34 fig.35

Het actie-reactie principe

Als we een gewicht op een tafel plaatsen(fig.36), dan oefent de zwaartekracht een bepaalde verticale kracht uit op de tafel. Het gewicht verkeert in rust, d.w.z. : er moet een evengrote, tegengesteld gerichte kracht aanwezig zijn, zodat de resulterende kracht = nul is. Deze kracht wordt geleverd door de elastische kracht van het tafelblad. Het tafelblad buigt zover door als nodig is om een elastische kracht te leveren die gelijk is aan het gewicht van het voorwerp.

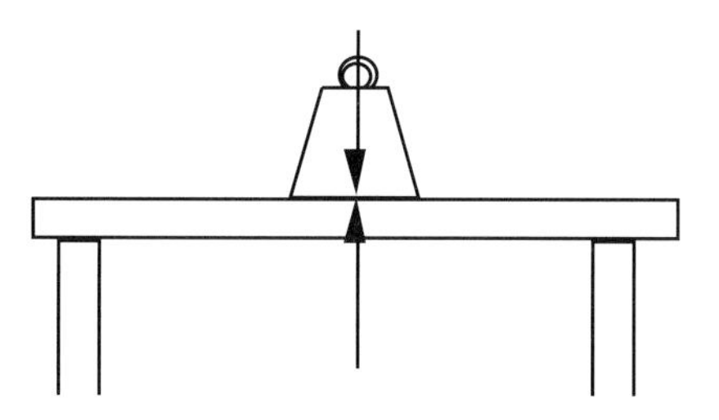

fig.36

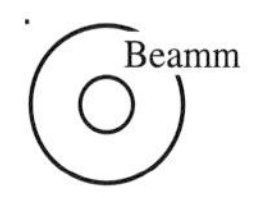

Het verband tussen kracht, massa en versnelling

Het traagheidsprincipe houdt in dat een lichaam, waarop geen resulterende kracht werkt óf in rust verkeert óf een rechtlijnige, eenparige beweging doorloopt. Elke verandering van de toestand waarin een lichaam verkeert betekent óf een versnelling, óf een vertraging (d.w.z. een negatieve versnelling).
Voor die versnelling is altijd een kracht nodig. De definitie van kracht is immers: kracht is de oorzaak van versnelling. Werkt op een lichaam een constante kracht, dan krijgt dit lichaam een constante versnelling.
Een constante kracht veroorzaakt dus een eenparig versnelde beweging.

Proefondervindelijk blijkt dat een grotere kracht aan eenzelfde lichaam (d.w.z. aan eenzelfde massa) een grotere versnelling geeft. Er blijkt bij een gelijke massa een evenredigheid te bestaan tussen kracht en versnelling (fig 39).

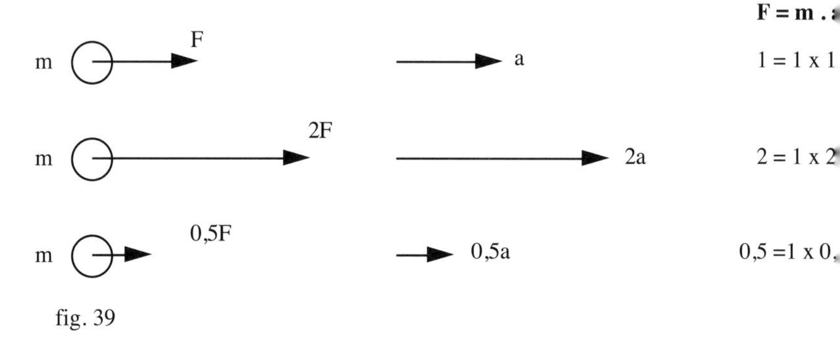

fig. 39

Laten we de kracht constant, maar variëren we de massa, dan blijkt er een omgekeerde evenredigheid te bestaan tussen kracht en versnelling (fig.40).

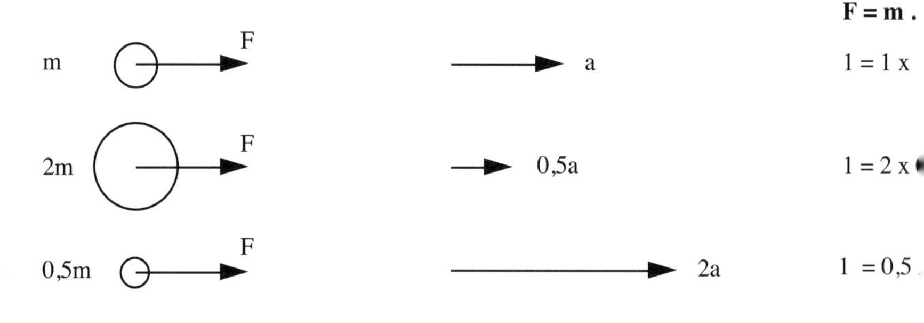

fig.40

Een en ander komt tot uitdrukking in de grondformule van de dynamica:

$$\mathbf{F = m.a}$$

D.w.z.: de eenheid van kracht geeft aan de eenheid van massa de eenheid van versnelling.

Het verband tussen massa en gewicht

Vaak bestaat de indruk dat massa en gewicht hetzelfde zijn. Dit is niet het geval. Massa is de hoeveelheid materie, gewicht is de kracht waarmee de aarde die hoeveelheid materie aantrekt.
Die aantrekkingskracht is niet op alle plaatsen op aarde gelijk. Aan de beide polen is zij het grootst, aan de evenaar het kleinst. Eenzelfde voorwerp "weegt" dus aan de polen meer dan aan de evenaar.

Een ruimtevaarder die een massa heeft van 60 kg, heeft een "aards gewicht" van ongeveer 600 N. In de toestand van gewichtsloosheid is zijn gewicht = 0; op de maan weegt hij ongeveer 100 N, d.w.z.: bedraagt zijn gewicht slechts 1/6 van zijn "aards gewicht". In alle gevallen blijft zijn massa dezelfde.
Massa is dus de constante grootheid die voor alle plaatsen geldt. Gewicht is dus een afgeleide grootheid die van plaats tot plaats verschilt.
Alleen op dezelfde plaats bestaat er een vast verband tussen massa en gewicht.

Eenheden

In formules moeten de daarin voorkomende factoren worden uitgedrukt in eenheden, die op elkaar zijn afgestemd. Hiervoor is een eenhedenstelsel noodzakelijk. In de loop van de tijd zijn verschillende eenhedenstelsels gehanteerd: het "dynamisch-stelsel", het "klein-statisch-stelsel" en het "groot-statisch-stelsel". Sinds 1 januari 1978 is internationaal het zogenaamde "kg-m-sec-stelsel" aanvaard, ook bekend als het S.I. (Système International).
Het S.I. kent een groot aantal eenheden. Voorlopig bepalen we ons tot de volgende :

- eenheid van massa: de kilogram (kg), d.i. de massa van het zgn. "standaard kilogram" van Parijs: een klompje platina.

- eenheid van afstand: de meter (m), d.i. de lengte van de zgn. "standaardmeter" van Parijs: een platinastaaf, die bij een constante temperatuur wordt bewaard.

- eenheid van tijd: de seconde, die afgeleid is van het astronomische jaar.

N.B. Dit zijn de basiseenheden. De overige eenheden zijn afgeleiden.

- eenheid van snelheid: de m/s.

- eenheid van versnelling: de m/s^2 ($= m.s^{-2}$).

- eenheid van kracht: de Newton (N), d.i. de kracht, die aan de eenheid van massa (de kg), de eenheid van versnelling geeft (m/s^2 ; F=m.a , 1=1x1).

Later zullen - bij de behandeling van nieuwe stofgebieden - nieuwe eenheden worden toegevoegd.

N.B.In de dagelijkse praktijk is de Newton als krachtseenheid nog niet ingeburgerd. Men spreekt meestal van een gewicht van 60 "kilo", wanneer men een lichaamsmassa van 60 kg bedoelt. Dit is nog een erfenis van het vroeger gehanteerde "groot-statisch-stelsel". Hier was de eenheid van kracht de kgf: de kilogram-force. Een massa van 60 kg woog toen 60 kgf, afgekort tot "60 kilo".
Omdat in de praktijk deze aanduiding nog veelvuldig wordt gebruikt, is het goed te weten dat 1 kgf

3.-Een fietser daalt vanuit stilstand een helling af.
-lengte 100 m,
-helling 4°; sin $4^o = 0.07$,
-lichaamsmassa 70 kg,
-massa van de fiets 10 kg,
-gemiddelde weerstand (wrijving + lucht) = 20 N.

a.Hoe groot is de optredende versnelling?
b.Hoe lang duurt de afdaling?
c.Welke snelheid wordt na die 100 m bereikt?

4.-Bereken hetzelfde bij een afdaling van 1000 m.
Moet hier bijgeremd worden?

4 Arbeid, vermogen en Energie

Beamm

Wanneer we een "last", b.v. een wagen(fig.46), willen verplaatsen, dan is hiervoor een kracht nodig. Hoe zwaarder de wagen, hoe groter de benodigde kracht.
We weten uit ervaring dat het verplaatsen van zo'n last vermoeiender is naarmate deze over een grotere afstand moet worden verplaatst. Er moet dan meer arbeid worden geleverd.
Arbeid is dus enerzijds afhankelijk van de geleverde kracht, anderzijds van de afgelegde weg. Arbeid is recht evenredig met de geleverde kracht en de afgelegde weg.
We vinden dit terug in de arbeidsformule: arbeid = kracht x weg of:
W staat voor work, F staat voor Force.

W = F.s

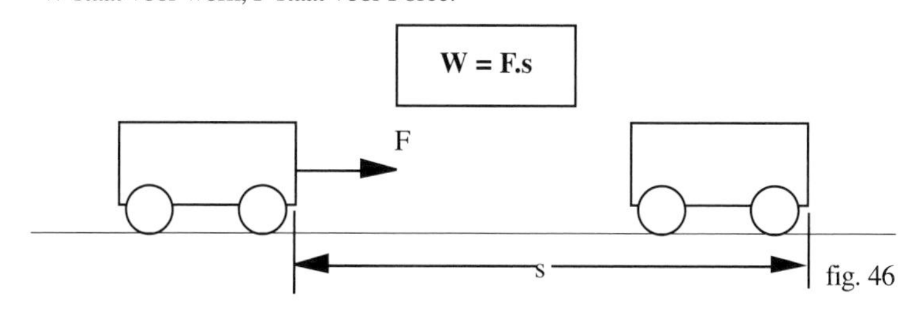

fig. 46

Uit de formule volgt de eenheid van arbeid: F.s = N.m.
In de praktijk gebruiken we hiervoor de Joule, dus: 1 N.m = 1 Joule = 1J.

N.B. Bij statische spierwerkzaamheid (isometrische contractie) is s = 0. In de zin van de mechanica wordt dan geen arbeid verricht. In de fysiologie zou men dus niet moeten spreken van statische arbeid, maar van statische spieractiviteit, waarbij in de zin van de mechanica geen arbeid wordt verricht.
Voorbeeld:
Iemand probeert een auto, die op de handrem staat, vooruit te duwen. Het lukt hem niet. Hij spant zich in, heeft krachtige statische spierwerkzaamheid, maar verricht in de zin van de mechanica geen arbeid, omdat s = 0.

In fig.46 werkt de kracht (F) in dezelfde richting als de weg (s). De arbeid is dan F.s. Hoe is dit nu als de kracht niet werkt in de richting van de weg (s), maar hiermee een hoek ∂ maakt (fig.47).

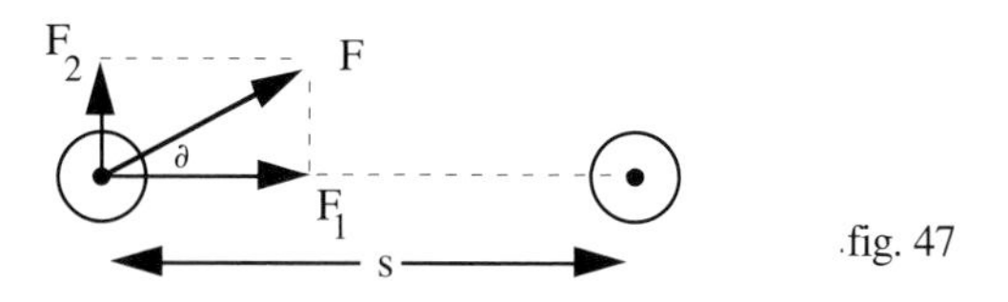

fig. 47

Het onafhankelijkheidsprincipe van Newton leert ons dat elke kracht zijn eigen uitwerking heeft. Als we F ontbinden in 2 componenten (zie vectoren): één component in de richting van s en één component loodrecht op s, dan hebben F_1 en F_2 hun eigen uitwerking: F_1 zal de last verplaatsen in de gewenste richting, F_2 zal alleen de druk op de grond verminderen, maar geen bijdrage kunnen leveren

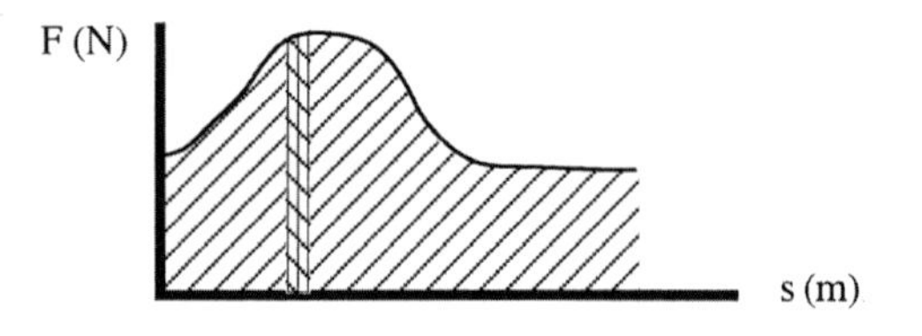

fig.51

Bekijken we de kracht gedurende een uiterst klein gedeelte weg (Δs), waarbij Δs nadert tot 0, dan mag gedurende dit korte wegdeel de kracht als constant beschouwd worden. De arbeid is dan de oppervlakte van het smalle gearceerde rechthoekje ($F.\Delta s$). Nemen we het volgende stukje Δs, ook dan is de arbeid de oppervlakte van de smalle rechthoekige strook. De totale arbeid is dan de som van alle smalle strookjes ($\sum F.\Delta s$). In de integraalrekening geschreven als: $\int F.ds$.

Energie

Beamm

Een lichaam bezit energie als het in staat is in enigerlei vorm arbeid te verrichten. Energie is dus een vorm van arbeid en de energie-eenheid is dan ook de Joule (J) = N.m.

We kunnen onderscheiden:

- kinetische energie (E_{kin})
- potentiële energie (E_{pot})

Kinetische energie

Een in beweging verkerend lichaam is in staat arbeid te verrichten.

Voorbeelden:
Een kegelbal, een biljartbal, een honkbalknuppel, een hockeystick, een tennisracket, enz. De hoeveelheid E_{kin} van een bepaald lichaam is van twee factoren afhankelijk:

- van de massa (m).
  Denk aan het vangen van een tennisbal en een met dezelfde snelheid bewegen de, veel zwaardere, medicinebal. In het laatste geval moet bij het vangen een veel grotere remarbeid worden geleverd om de kinetische energie van de bal te kunnen "neutraliseren".

- van de snelheid (v).
  Denk aan het koppen van een bal uit een rustige inworp en het wegkoppen van een strak, hard schot.
  Denk aan de blikschade bij een botsing met geringe snelheid en de ravage bij een botsing met grote snelheid.

De kinetische energie blijkt evenredig te zijn met de massa en het kwadraat van de snelheid. De formule luidt:

$$\mathbf{E_{kin} = 0{,}5\ m.v^2}$$

Afleiding van de formule:

Stel dat een kogel met een massa m en een snelheid v tot stilstand wordt gebracht door een constante kracht F over een weg s, dan is:

E_{kin}	=	Fs	(remkracht x remweg)
(xJ)		(xJ)	

Een constante remkracht geeft een constante vertraging. Er ontstaat dus een eenparig vertraagde beweging. Hiervoor geldt de formule: $v_t = v_o - at$; v_t is de eindsnelheid van de kogel = 0; v_o is de kogelsnelheid v, dus 0 = v - at ..... v = a.t en t = v/a.
Voorts geldt de formule $s_t = v_o t - 0{,}5at^2$; s_t is hier de remweg s, v_o de kogelsnelheid v, dus $s = vt - 0{,}5\ at^2$. Daar v = at, kunnen we schrijven: $s = a.t.t - 0{,}5\ at^2 = at^2 - 0{,}5at^2 = 0{,}5at^2$.
Voor t kunnen we schrijven v/a, dus $s = 0{,}5\ at^2 = 0{,}5.a.v^2/a^2 = 0{,}5.v^2/a$.
Daar F = m.a kunnen we voor de remarbeid schrijven $W = F.s = m.a.s = m.a.0{,}5.v^2/a = 0{,}5mv^2$.
Daar E_{kin} = F.s, is bewezen dat: $E_{kin} = 0{,}5\ mv^2$.

N.B. Uit de formule is altijd de eenheid af te leiden. In dit geval is de eenheid van E_{kin}:

F= m.a m = F/a = F:a = N : m/s^2 = $N.s^2/m$

v = m/s $v^2 = m^2/s^2$

$m.v^2 = N.s^2/m\ .\ m^2/s^2 = N.m = J$

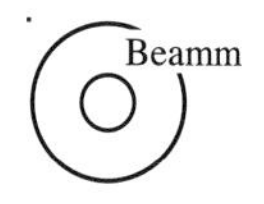

Wanneer de kogel de grond raakt bezit de kogel een kinetische energie
$= 0{,}5\ mv^2 = 0{,}5 \times 5 \times (10\sqrt{2})^2 = 500$ J, dus:

$$\mathbf{E_{pot}\ (boven) = E_{kin}\ (beneden)}$$

Deze wet maakt het mogelijk globale berekeningen te maken bij sportbewegingen.
Hoe is de situatie nu onderweg?
Stel dat de kogel 6 m is gevallen. Hij bezit dan nog een $E_{pot} = mgh = 5 \times 10 \times 4 = 200$ J.
Door de valbeweging is er een hoeveelheid E_{kin} gevormd.

$s_t = 0{,}5\ gt^2 \qquad 6 = 0{,}5 \times 10 \times t^2 \qquad t^2 = 1{,}2 \qquad t = \sqrt{1{,}2}$
$v_t = gt \qquad = 10 \times \sqrt{1{,}2}$
$Ekin = 0{,}5\ mv^2 \qquad = 0{,}5 \times 5 \times (10\sqrt{1{,}2})^2 \qquad = 300$ J

$E_{pot} + E_{kin}$ is dus ook hier 500 J
De totale hoevelheid energie blijft dus gelijk.
Wanneer de kogel de grond raakt, gaat de mechanische energie (E_{pot} en E_{kin}) over in andere energievormen (vervormingsenergie, geluid, licht, warmte). Ook dan geldt de wet van het behoud van energie, maar voor de sportbeweging is deze overgang niet van nut.

Vermogen

Uit de formule W = F.s volgt dat bij arbeid de tijdsfactor geen rol speelt. Of we nu de weg 4x zo groot maken en de kracht 4x zo klein òf de weg 4x zo klein met een 4x zo grote kracht, de geleverde arbeid is in beide gevallen gelijk.
In de sport gaat het echter vaak om arbeid die per seconde kan worden geleverd. Dit wordt aangeduid met het **vermogen.**
Het formulesymbool is P (van power). Dus:

$$P = \frac{F.s}{t}$$

Daar s = v.t , is $v = \frac{s}{t}$ $\qquad P = \frac{F.s}{t} = F.\frac{s}{t} = F.v$

We kunnen dus ook schrijven:

$$P = F.v$$

Uit de formule volgt weer de eenheid van vermogen:

$\frac{F.s}{t} = \frac{Nm}{s} = \frac{J}{s} = J/s$ In de praktijk wordt hiervoor gebruikt de Watt (W)

dus: 1 Nm/s = 1 J /s = 1W

1000 W wordt aangeduid met kilowatt (kW).

N.B. In de praktijk wordt nog vaak de eenheid van vermogen gebruikt uit het afgeschafte groot-statische stelsel: de paardekracht (pk). Het is wellicht nuttig te weten dat1 pk = ong. 750 W (om precies te zijn 736 W), dus 1 pk = ong. 3/4 kW en 1 kW = ong.1 1/3 pk.

Uit de berekeningen blijkt dat de krachten die op het lichaam werken erg hoog zijn. Daarom moeten, zowel voor kinderen als voor ouderen, grote neerspringhoogtes worden afgeraden en een goede landingstechniek worden aangeleerd.

11.-Een bal, met een massa van 300 gram, wordt verticaal omhoog geworpen. Hij verlaat de hand met een snelheid van 20 m/s en op een hoogte van 1.50m boven de grond.

a.Hoe hoog komt de bal boven de grond?
b.Hoe groot is de E_{kin} die de bal krijgt?
c.Hoe groot is de E_{pot} boven t.o.v. de grond?

12.-Een speerwerper oefent op een speer van 800 gram, over een afstand van 0,5 m, een constante kracht uit van 360 N.

a.Hoeveel arbeid verricht de speerwerper?
b.Met welke snelheid verlaat de speer de hand?

13.-Een turnster heeft bij het ringzwaaien een bewegingsuitslag van 60° t.o.v. de verticaal.
De afstand van het ophangpunt tot het lichaamszwaartepunt bedraagt 4 meter.
De lichaamsmassa = 60 kg.
$g = 10\ m/s^2$.
$\cos 60^o = 0{,}5$.

a.Hoe groot is de trek aan de handen op het "dode punt"?
b.Hoe groot is de verticale stijging van het zwaartepunt op het "dode punt"?
c.Hoe groot is de E_{pot} op het "dode punt"?
d.Hoe groot is de E_{kin} op het "dode punt"?
e.Hoe groot is de E_{kin} op het laagste punt?
f.Hoe groot is de baansnelheid op het laagste punt?

5 De cirkelbeweging

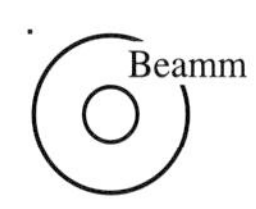

Evenals een rechtlijnige beweging kan een cirkelbeweging zowel eenparig als veranderlijk zijn. Eenparig is een cirkelbeweging als de baansnelheid in grootte constant is. Veranderlijk is een cirkelbeweging als de baansnelheid in grootte niet constant is. De dan aanwezige versnelling (of vertraging) kan constant zijn: eenparig versnelde cirkelbeweging of wisselend: niet eenparige cirkelbeweging.

Het vlak waarin de cirkelbeweging plaats heeft

De cirkelbeweging kan zich voltrekken in vele vlakken:

- een horizontaal vlak,
- een verticaal vlak,
- een vlak onder een bepaalde hoek t.o.v. het horizontale vlak.

In het horizontale vlak kunnen we te maken hebben met:

- een vaste bodem (bijvoorbeeld een auto die met een bepaalde snelheid een bocht maakt),
  de zwaartekracht speelt dan geen directe rol;
- geen vast grondvlak (bijvoorbeeld de cirkelbaan van de schuitjes van een zweefmolen), de zwaartekracht beïnvloedt dan mede de cirkelstraal.

In het verticale vlak speelt de zwaartekracht steeds een rol (bijvoorbeeld bij het ringzwaaien, rekturnen, trapezewerk, enz.).
In een schuin vlak (bijvoorbeeld bij het discuswerpen, kogelslingeren, slingerbalwerpen) speelt de zwaartekracht eveneens steeds een rol.

We beperken ons tot de volgende cirkelbewegingen:

- in het horizontale vlak (met vaste ondergrond),
- in het verticale vlak, gericht op de sportbeweging,
- in het schuine vlak, gericht op de sportbeweging.

De cirkelbeweging in het horizontale vlak met vaste ondergrond

Hier zijn de kernpunten van de cirkelbeweging het eenvoudigst te behandelen. Belangrijk zijn de volgende begrippen:

- hoeksnelheid,
- lineaire snelheid, ook wel: omtreksnelheid of baansnelheid,
- centripetale kracht of middelpuntzoekende kracht en de daarmee gepaard gaande centripetale versnelling,
- centrifugale kracht of middelpuntvliedende kracht en de daarmee gepaard gaande centrifugale versnelling,
- hoekversnelling,
- tangentiële versnelling of baanversnelling

Met uitzondering van de twee laatste punten zullen bovengenoemde begrippen besproken worden aan de hand van de eenvoudigste cirkelbeweging: de eenparige cirkelbeweging.

De centrifugale kracht

Als we een kogel aan een koord ronddraaien, ontstaat in het koord een spanning. De spierkracht levert de naar binnen gerichte centripetale kracht. Het is deze kracht die de spanning in het koord veroorzaakt. Bij "de man in het centrum" wekt dit de indruk dat de kogel een kracht naar buiten uitoefent (actie-reactie). Deze reactiekracht -een zogenaamde schijnkracht- wordt middelpuntvliedende of centrifugale kracht genoemd.
In feite wordt echter door de kogel geen kracht naar buiten uitgeoefend. Voeren we n.l. de draaisnelheid op dan zal op een bepaald moment het koord breken. De uitgeoefende kracht, de actie, valt plotseling weg, waardoor op het zelfde moment ook de centrifugale kracht, de reactie, wegvalt. De kogel zal de cirkelbaan verlaten volgens de raaklijn. Een centrifugale kracht, in de zin van een kracht die de kogel naar buiten trekt, bestaat dus niet.
Willen we toch het ingeburgerde begrip middelpuntvliedende -of centrifugale kracht gebruiken, dan moeten we deze zien als de reactiekracht als gevolg van de centripetale kracht, de actie.

Het wegvliegen van de kogel is niet het gevolg van de centrifugale kracht, maar van het wegvallen van de centripetale kracht.

Voor de centrifugale kracht en de daarmee gepaard gaande centrifugale versnelling gelden dus dezelfde formules als voor de centripetale kracht en versnelling, echter met een - teken, dus:

$$F_c = -\frac{m.v^2}{r} \qquad F_c = -m.\omega^2.r$$

Hoekversnelling en tangentiële versnelling

Bij de niet eenparige cirkelbeweging hebben we te maken met twee versnellingen:

- De <u>hoekversnelling</u> ß, d.i. de toename (resp. afname, bij een negatieve versnelling) van de <u>hoeksnelheid</u> per seconde. Deze wordt uitgedrukt in rad/s^2.

- De <u>tangentiële versnelling</u>, ook wel genoemd baanversnelling of omtrekversnelling, d.i. de toename (resp. afname, bij een negatieve versnelling) van de lineaire snelheid per seconde. De tangentiële versnelling werkt evenals de lineaire snelheid volgens de raaklijn aan de cirkel. De tangentiële versnelling wordt uitgedrukt in m/s^2.

Het verband tussen de tangentiële versnelling en de hoekversnelling:

Is de hoekversnelling 1 rad/s^2, dan is a_{tan} = 1 x r m/s^2.
Is de hoekversnelling ß rad/s^2, dan is a_{tan} = ß x r m/s^2, dus:

$$\mathbf{a_{tan} = r.ß}$$

Het zijn deze versnellingen die bij slingerworpen (discuswerpen, kogelslingeren) in de eindfase van de afworp aan het werpmateriaal een grote snelheid geven.

Beamm

Praktijkvoorbeeld:

Bij het discuswerpen krijgt de bekkenas AC (fig.58) door het snel, explosief naar voren/boven draaien een hoekversnelling. De rechterheup A draait versneld van A naar B tijdens de afworp. Deze "centrale" hoekversnelling wordt (iets later) overgedragen op de schouderas en (weer iets later) op de werparm. De hoekversnelling van de bekkenas plant zich als een golf voort van het centrum naar de periferie. Er ontstaat een zogenaamd zweepslag-effect.
AC is de bekkenas in de uitgangshouding voor de afworp. De rechterheup (A) draait versneld naar B (ong. 90°); de werparm (AD) draait eveneens versneld in nagenoeg dezelfde tijd van AD naar BE (ong. 135°). De discus legt in dezelfde tijd de lange weg af van D naar E en krijgt via dit zweepslageffect een grote baanversnelling en bij de afworp een grote afwerpsnelheid.
Hoe langer de arm, hoe langer de weg DE, hoe groter de baansnelheid (uiteraard bij dezelfde afwerptijd).

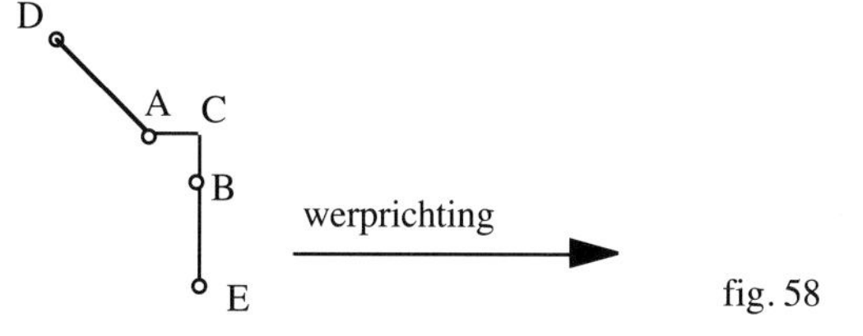

fig. 58

De cirkelbeweging in het verticale vlak

We zullen ons hierbij beperken tot de gehele of gedeeltelijke cirkelbeweging, zoals die zich voordoet in de sport en de lichamelijke oefening (bijvoorbeeld: reuzendraai, ringzwaaien, touwzwaaien).In het verticale vlak wordt de cirkelbeweging continu beïnvloed door de zwaartekracht. Dit betekent dat de trek aan de handen naar boven afneemt en naar beneden toeneemt.

Voorbeeld: ringzwaaien (fig.59).

Z = lichaamszwaartepunt

F_z = zwaartekracht

F_1 = component in de touwrichting

F_2 = component loodrecht op de touwrichting

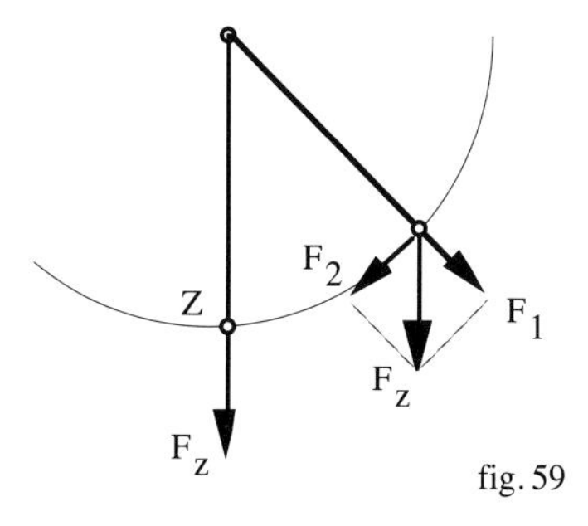

fig. 59

6.-Een turner maakt een reuzendraai vanuit handstand op de stok.
De massa van de turner = 60 kg.
De afstand van de handen tot het lichaamszwaartepunt = 1,20 m.

a.Hoe groot is de kracht op de stok in de handstand?
b.Hoe groot is de stijging van het zwaartepunt van het laagste tot het hoogste punt?
c.Hoe groot is de E_{pot} boven?
d.Hoe groot is de E_{kin} op het laagste punt?
e.Hoe groot is de v_{lin} van het zwaartepunt op het laagste punt?
f.Hoe groot is de hoeksnelheid dan?
g.Hoe groot is de F_c dan?
h.Hoe groot is de trek aan de handen dan?

6 De kogelbaan

Wanneer een bal wordt weggeworpen, wordt tijdens de afwerpbeweging gedurende een bepaalde tijd een bepaalde kracht op die bal uitgeoefend. De bal krijgt hierdoor een bepaalde snelheid. Zodra de bal los is uit de hand houdt de inwerking van de kracht op en zal de bal, als er geen andere krachten op zouden inwerken, een eenparige, rechtlijnige beweging gaan doorlopen (traagheidsprincipe) in de richting en met de snelheid, die de bal heeft op het moment van loslaten. Op het moment van loslaten werkt er echter wel een kracht op de bal: de zwaartekracht. De zwaartekracht zal aan de bal in verticale zin een eenparige versnelling geven van g m/s^2.
In de richting waarin de bal wordt geworpen onstaat dus een eenparige rechtlijnige beweging; in verticale richting een eenparig versnelde rechtlijnige beweging. Als gevolg hiervan gaat de bal een parabolische baan doorlopen; deze wordt kogelbaan genoemd (fig.60).

Stel de afwerpsnelheid (v) = 20 m/s en de afwerphoek = 45°, dan is:

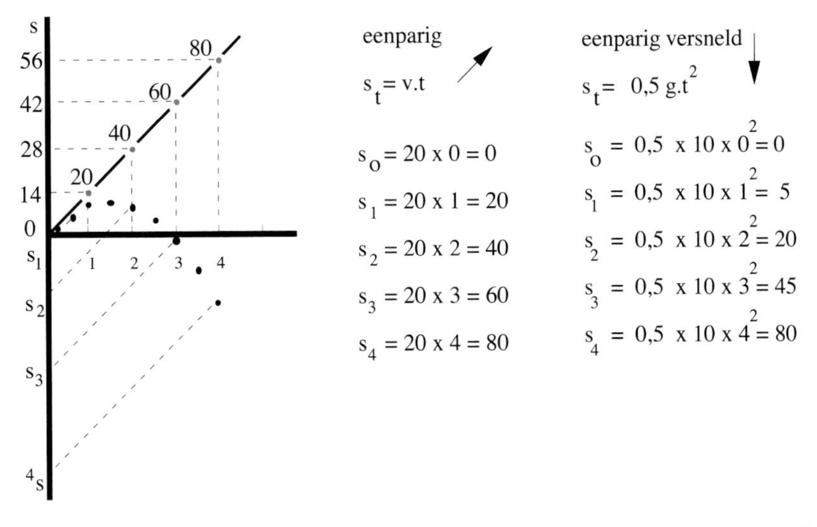

fig.60

Als we de punten 0-1-2-3-4 vloeiend verbinden, ontstaat de parabolische kogelbaan.

N.B. Daar de lijnstukken $0s_1$, s_1s_2, s_2s_3 en s_3s_4 van de eenparige grafiek gelijk zijn, zijn ook hun projecties op de horizontale as gelijk. De beweging langs de horizontale as is dus eveneens eenparig.

Om precies te zijn moeten we zeggen dat het zwaartepunt van de bal een parabolische baan doorloopt. Wat voor een bal geldt, geldt in principe voor elk object dat zich, los van de grond, door de lucht beweegt. Altijd zal het zwaartepunt een parabolische baan doorlopen, of dit nu een star lichaam (kogel,discus,speer) betreft, of een "in gewrichten beweeglijk lichaam", zoals het menselijk lichaam (verspringen, hoogspringen, lopen, schoonspringen, grondgymnastiek, enz.).

Berekeningen

1.-Bereken hetzelfde bij v = 20 m/s en $\partial = 30^o$.
   Sin 30° = 0,5.
   Cos $30^o = 0,5\sqrt{3}$ ($\sqrt{3}$ = 1,73).

2.-Bereken hetzelfde bij v = 20 m/s en $\partial = 60^o$.
   Sin $60^o = 0,5\sqrt{3}$.
   Cos 60° = 0,5 ($\sqrt{3}$ = 1,73).

3.-Bereken hetzelfde bij v = 20 m/s en $\partial = 40^o$.
   Sin 40° = 0,64.
   Cos 40° = 0,77.

4.-Bereken hetzelfde bij v = 20 m/s en $\partial = 50^o$.
   Sin 50° = 0,77.
   Cos 50° = 0,64.

5.-Vul nu het volgende staatje in:

hoek in ^{o}	zweeftijd (s)	hoogte (m)	afstand (m)
30			
40			
45			
50			
60			

6.-Welke conclusie kan getrokken worden m.b.t. de meest gunstige afwerphoek voor een maximale werpafstand?

7.-Welke conclusie kan getrokken worden m.b.t. gelijke werpafstanden onder ver schillen de hoeken?

8.-Een golfer slaat de bal onder een hoek van 45°, met een snelheid van 26 m/s.
   Sin $45^o = 0,5\sqrt{2}$.
   Cos $45^o = 0,5\sqrt{2}$ ($\sqrt{2}$ = 1,4).

   a.Hoe lang zweeft de bal door de lucht?
   b.Hoe hoog komt de bal boven de grond?
   c.Hoe ver wordt de bal geslagen?

Uit de berekeningen volgt dus dat:

1.-Het maximale werpresultaat wordt bereikt bij een afwerphoek van 45° (luchtweerstand en niveauverschil buiten beschouwing gelaten).

Theoretisch bewijs:

verticaal: $v_t = v_o - g.t$ $\quad 0 = v.\sin\partial - g.t$ $\quad t = v.\sin\partial / g$ (stijgtijd)

hele zweeftijd: $2.v.\sin\partial / g$

horizontaal: $s_t = v.t = v.\cos\partial . 2.v.\sin\partial / g$ $\quad s_t = v^2 . 2.\sin\partial.\cos\partial / g = v^2 . \sin 2\partial / g$

Daar v en g gegeven zijn, bereikt s_t zijn maximale waarde bij een maximale waarde van $\sin 2\partial$.
Dus als $\sin 2\partial = 1$ en $2\partial = 90^o$, dus bij $\partial = 45^o$.

2.-Het werpresultaat bij hoeken die samen 90° zijn (elkaars complement zijn), gelijk is. Men spreekt dan van de lage en hoge parabool.
Bijvoorbeeld bij basketbal: de lage parabool bij een "chest-pass"; de hoge para bool bij een afstandschot.

Theoretisch bewijs:

Stel de afwerphoek bij de lage parabool = ∂, dan is de afwerphoek bij de hoge parabool = $(90 - \partial)$. Hierbij is $\sin\partial = \cos(90 - \partial)$.

Lage parabool:

verticaal: ↑ $v_t = v_o - g.t$
$0 = v.\sin\partial - g.t$
$t = v.\sin\partial / g$
$2t = 2.v.\sin\partial / g$

horizontaal: $s_t = v.t = v.\cos\partial.2.v.\sin\partial / g$
$s_t = v^2. 2.\sin\partial.\cos\partial / g = v^2. \sin 2\partial / g$

Werpafstand: $v^2. \sin 2\partial / g$

Hoge parabool:

verticaal: ↑ $v_t = v_o - g.t$
$0 = v.\sin(90-\partial) - g.t$
$t = v.\sin(90-\partial) / g = v.\cos\partial / g$
$2t = 2v.\cos\partial / g$

horizontaal: $s_t = v.t$
$s_t = v.\cos(90-\partial).2.v.\cos\partial / g$
$s_t = v.\sin\partial.2.v.\cos\partial / g$
$s_t = v^2. \sin 2\partial / g$

Werpafstand: $v^2. \sin 2\partial / g$

In beide gevallen is dus de werpafstand gelijk.

Tot nu toe hebben we het niveauverschil tussen afwerppunt, resp. afspringpunt en landingspunt verwaarloosd. In de praktijk is er bij het werpen en springen echter altijd een niveauverschil aanwezig. Wat is de invloed hiervan?

7 Krachtenleer

Bij de bepaling van de grondeigenschappen van krachten die op het lichaam inwerken, zullen we uitgaan van de werking in één plat vlak.
Uit praktische overwegingen is het wenselijk onderscheid te maken tussen:

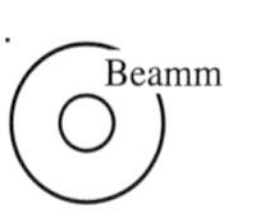

- niet evenwijdige krachten,
- evenwijdige, niet gelijke krachten,
- evenwijdige, gelijke, tegengesteld gerichte krachten: koppels.

Niet evenwijdige krachten

Zoals we vroeger gezien hebben is een kracht een vector, dat wil zeggen, een kracht heeft behalve een grootte ook een richting en een aangrijpingspunt.
Het aangrijpingspunt van een kracht mag volgens zijn werklijn worden verplaatst (fig.63a).
Werken twee krachten volgens dezelfde werklijn, dan werkt ook de resultante volgens die werklijn en is de grootte van de resultante gelijk aan de algebraïsche som van die twee krachten. De vectorsom is dan gelijk aan de algebraïsche som (fig.63b).
Ook het aangrijpingspunt van de resultante mag volgens zijn werklijn worden verplaatst.
Grijpen twee krachten in hetzelfde punt aan, maar werken ze in verschillende richtingen, dan vinden we de resultante via de parallellogramconstructie (fig.63c).
De vectorsom is dan niet gelijk aan de algebraïsche som. De resultante (R) is dan de diagonaal van het parallellogram. Zie ook het hoofdstuk: vectoren.

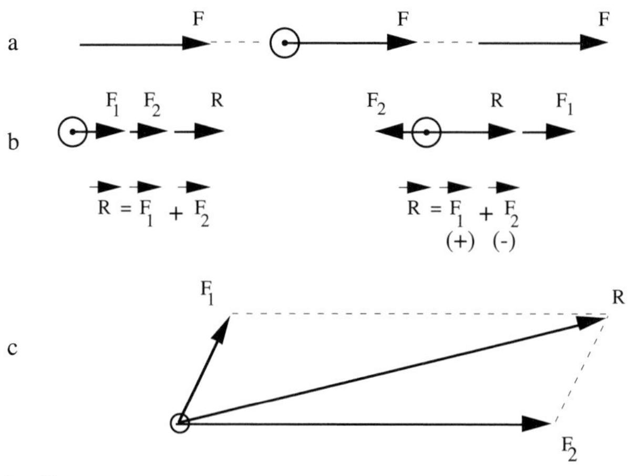

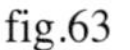
fig.63

Werken twee krachten in hetzelfde vlak met verschillende aangrijpingspunten, dan vinden we de resultante door de krachten te verplaatsen naar het snijpunt van hun werklijnen en daar de parallellogramconstructie toe te passen. Ook de resultante mag dan weer volgens zijn werklijn worden verplaatst, b.v. naar punt C, liggend op de verbindingslijn AB (fig.64).

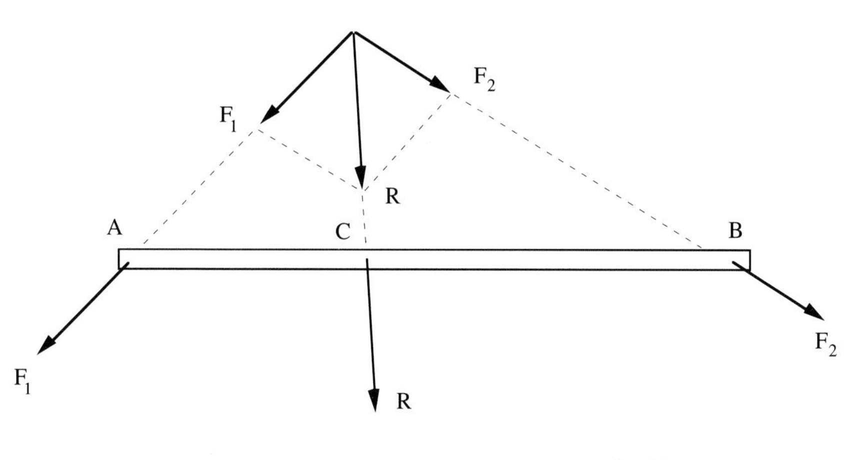

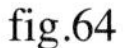
fig.64

N.B. Een lichaam waarop niet-evenwijdige krachten werken is in evenwicht te brengen door een kracht, gelijk en tegengesteld aan de resultante.

Evenwijdige krachten.

a.- De krachten werken in dezelfde richting.

Het is nu onmogelijk uit te gaan van het snijpunt van de werklijnen van de krachten omdat zij evenwijdig lopen. De vraag is nu hoe we hier het aangrijpingspunt van de resultante vinden. Hiertoe voeren we twee gelijke tegengesteld gerichte krachten P in, langs dezelfde lijn werkend en aangrijpend in de punten waar ook de evenwijdige krachten aangrijpen. Omdat de resultante van deze fictieve krachten = 0, hebben deze krachten geen invloed op het geheel (fig.65).
P en F_1 geven R_1 als resultante. P en F_2 geven R_2 als resultante. Het geheel wordt overgebracht naar het snijpunt C van de werklijnen van R_1 en R_2. R_1 ontbinden we nu weer in P en F_1; R_2 in P en F_2.
De krachten P werken tegengesteld en heffen elkaar op. Blijven over de krachten F_1 en F_2, die in hetzelfde punt C aangrijpen en in elkaars verlengde lopen. De resultante is dan de algebraïsche som.

Beamm

Het moment van een kracht

Stel dat de starre staaf AB kan draaien om een vaste as, die door het midden M loopt. Een dergelijke staaf noemen we een hefboom (fig.68).
Hangen we in A een gewicht F, dan zal de door F uitgeoefende kracht de hefboom willen draaien om het vaste punt M en wel tegen de wijzers van de klok in.

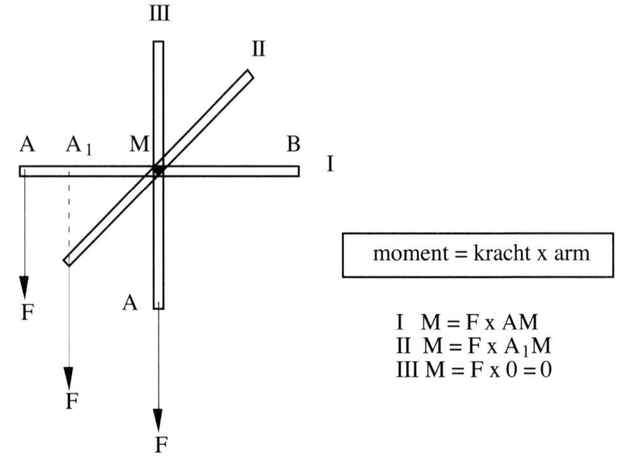

fig.68

De neiging om een hefboom te laten draaien is afhankelijk van:

- de grootte van de kracht,
- de loodrechte afstand van het draaipunt M tot de werklijn van de kracht F. Deze loodrechte afstand noemen we de arm van de kracht.

De grootte van de draaiingsneiging wordt uitgedrukt in het begrip moment. Het moment van een kracht t.o.v. een vast punt is gelijk aan het product van die kracht en de loodrechte afstand van het draaipunt tot de werklijn van die kracht.

moment = kracht x arm

In stand I is het moment F x AM, in stand II (als de hefboom over een bepaalde hoek is gedraaid) is het moment F x A_1M, in stand III (de verticale stand) zal de werklijn van F door het draaipunt M lopen en zal de arm dus =0 zijn. Het draaimoment of kortweg het moment is dan eveneens =0. In deze stand is dus geen draaineiging meer aanwezig en de hefboom zal in deze stand tot rust komen, d.w.z. in evenwicht zijn. Het draaimoment neemt steeds meer af van de horizontale tot de verticale stand, hoewel de uitgeoefende kracht constant blijft. Deze vermindering wordt veroorzaakt door de steeds kleiner wordende afstand tussen draaipunt en werklijn.

Voor het draaieffect is het dus van het grootste belang dat de kracht zoveel mogelijk loodrecht op de hefboom werkt, het draaimoment is dan maximaal.

B.v.het gebruik van een kruissleutel bij het verwisselen van een autoband (loodrecht en zover mogelijk van de draaiingsas).

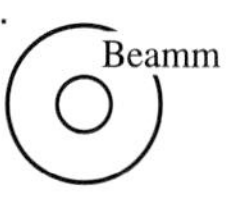

De momentenstelling

In A hangen we een gewicht F_1 (fig.69). Dit gewicht wil de hefboom tegen de wijzers van de klok indraaien. Een dergelijke draaiing wordt positief genoemd. Als we in B (waarbij AM = BM) een gewicht F_2 hangen (waarbij $F_2 = F_1$), dan blijkt de hefboom in horizontale stand te blijven, d.w.z. de hefboom blijkt in evenwicht te zijn. Het in B opgehangen gewicht F_2 wil de hefboom met de wijzers van de klok meedraaien. Een dergelijke draaiing wordt negatief genoemd.

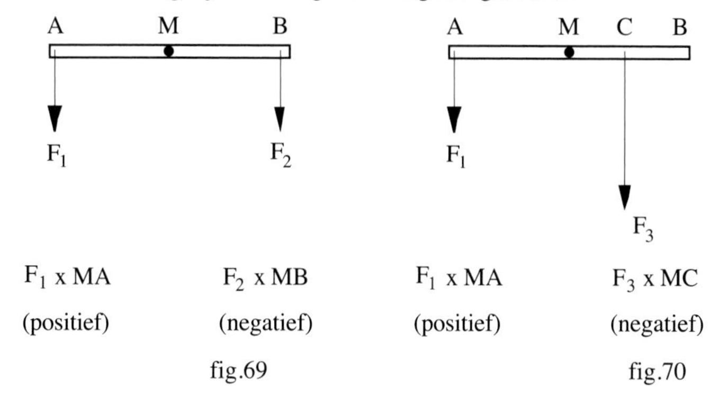

fig.69 fig.70

Het positieve moment van F_1 t.o.v. M is gelijk aan het negatieve moment van F_2 t.o.v. M. Het resulterende moment is = 0, er zal dus geen draaiing optreden: er is evenwicht.
De hefboom kunnen we ook in evenwicht krijgen door in C, waarbij CM = CB een gewicht $F_3 = 2.F_1$ op te hangen. Ook dan is het resulterende moment = 0 (fig.70). Dit voert tot de zogenaamde momentenstelling:

Een lichaam is in evenwicht als de algebraïsche som van alle erop werkende momenten = 0 is.

N.B. Een lichaam waarop evenwijdige krachten werken is in evenwicht te brengen door een kracht, gelijk en tegengesteld aan de resultante. Het juiste aangrijpingspunt van de resultante is te controleren met de momentenstelling. Het aangrijpingspunt van de resultante is dan te beschouwen als de as van de hef boom, dus (fig.71):

fig.71

R_1

(100 x 3) + (-300 x 1) = 0

100N

300N

R = 400N

b.-De losse katrol.

Bij de losse katrol (fig.76)wordt de benodigde kracht gehalveerd. De as van de katrol (M) is hier niet vast, maar beweegt van boven naar beneden of omgekeerd.

Als de last L omhoog wordt getild van positie I naar positie II, dan blijft hierbij de middellijn AB in dezelfde, horizontale, stand.

A wordt dan in feite het "draaipunt". F werkt met de arm BA; L werkt met de arm MA.

Hierbij geldt F x BA = L x MA. Daar MA = 0,5 BA, is F = 0,5 L.

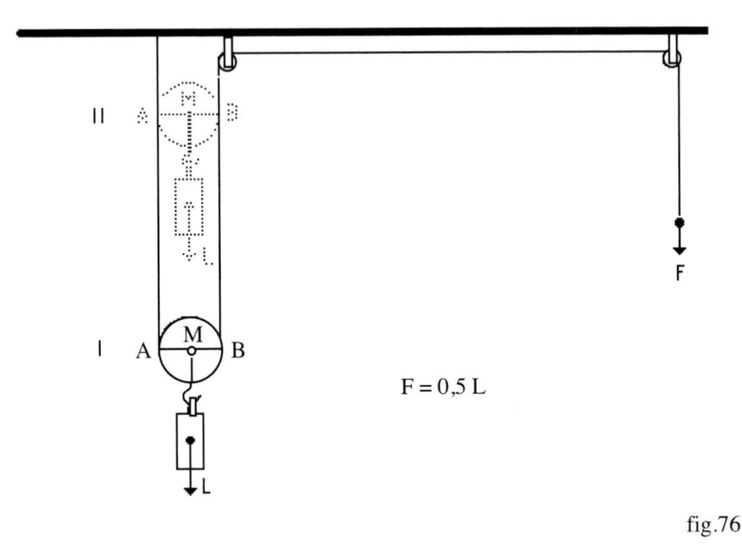

fig.76

Veelal wordt de losse katrol gecombineerd met één of meer vaste katrollen, zoals in fig 76, om gemakkelijker te kunnen werken. De vaste katrol dient alleen om de richting van de kracht te veranderen, ook hier geldt dus: F = 1/2L.

De losse katrol wordt gebruikt als de benodigde kracht bij het gebruik van de vaste katrol te groot wordt.

Voorbeelden: zeilen, het opklappen van zware basketbalborden, het spannen van het volleybalnet, het tegen het plafond tillen van de klimtouwen.

Wanneer bij de losse katrol de last 1m wordt opgetild, zal men tweemaal zoveel touwlengte door de handen moeten laten gaan, m.a.w. de afgelegde weg wordt tweemaal zo groot en de kracht tweemaal zo klein.

Omdat arbeid = kracht x weg (W=Fxs), blijft de arbeid, die moet worden verricht, in feite gelijk. Wat men aan kracht minder moet opbrengen, moet men aan weg meer opbrengen. Dit noemen we de "gulden regel".

Nog verder kunnen we de kracht die moet worden opgebracht terugbrengen door een samenstel van vaste en losse katrollen te maken, een zgn. takel (fig.77).

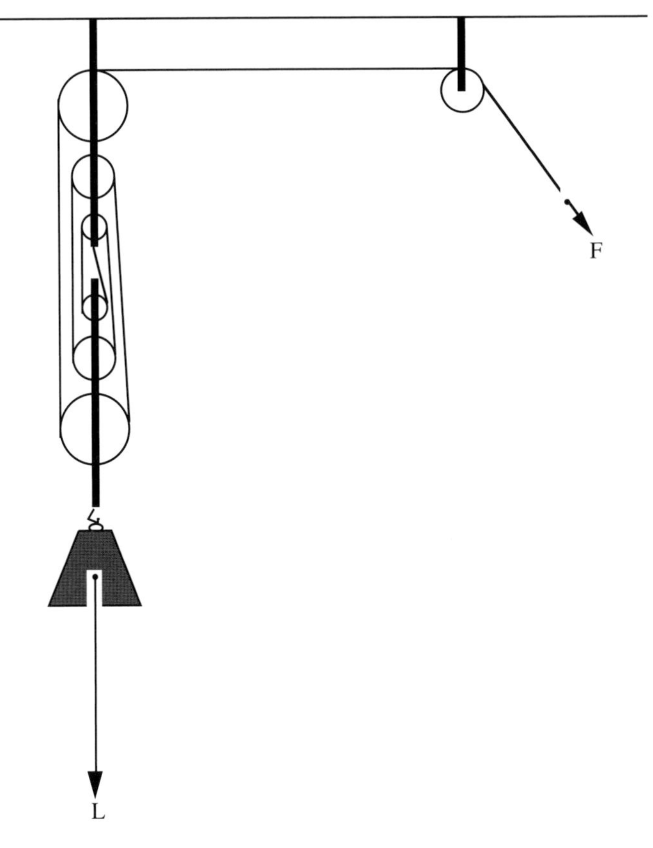

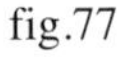
fig.77

Daar hier voor het omhoogtillen van de last over 1m, 6m touw door de handen moet gaan, is hier F = 1/6L.
Veelal wordt in de praktijk ook gebruik gemaakt van tandwielen als hefbomen. Een tandwiel met 10 tanden, dat een tandwiel met 30 tanden aandrijft, moet 3 omwentelingen maken (s is 3x zo groot - 3x 360°) om het 30-tands-wiel éénmaal rond te draaien (1x 360°). F is dus 3x zo klein.
Voorbeelden: versnellingsbak van een auto, fietsversnellingen, kettingoverbrenging bij een fiets, autokrik, enz.

7.-Idem bij krachten van 100 N, 300 N en 500 N (fig.84).

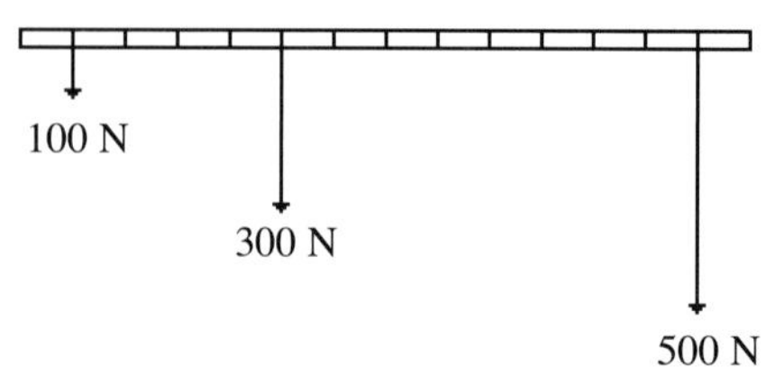

fig.84

8.-Idem bij krachten van 200 N, 300 N en 400 N (fig.85).

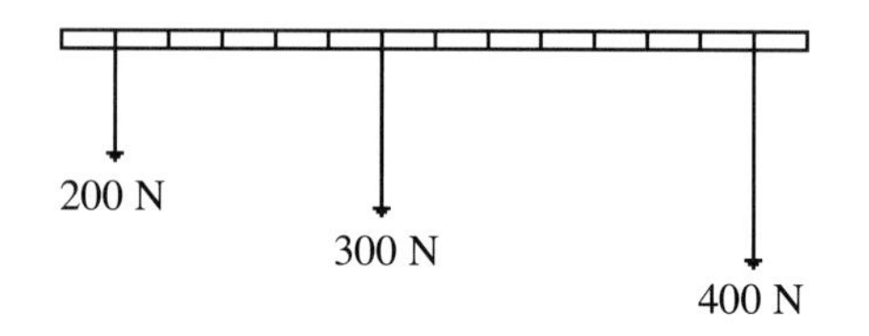

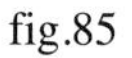
fig.85

9.-Twee evenwijdig tegengesteld gerichte krachten van 200 N en 400 N werken op de aangegeven wijze op een balk in (fig.86).

a.Teken de kracht die de balk in evenwicht houdt.
b.Hoe groot is die kracht?

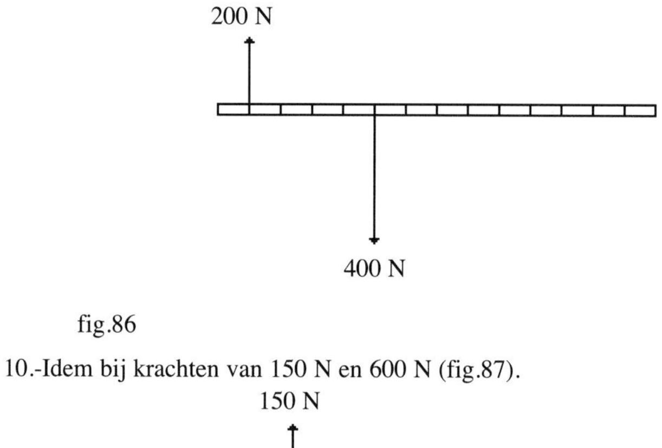

fig.86

10.-Idem bij krachten van 150 N en 600 N (fig.87).

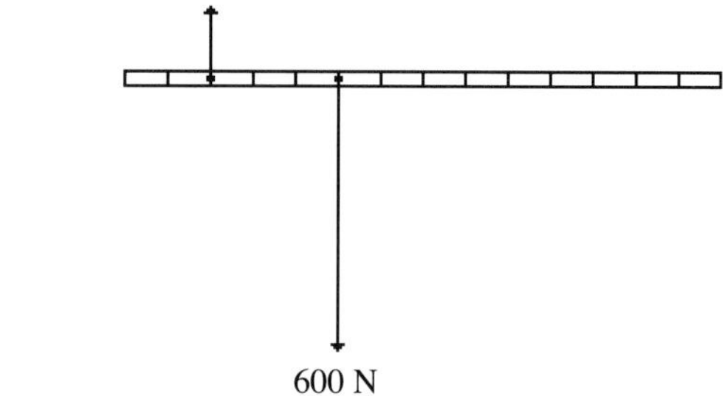

fig.87

11.-Idem bij krachten van 100 N, 200 N en 300 N (fig.88).

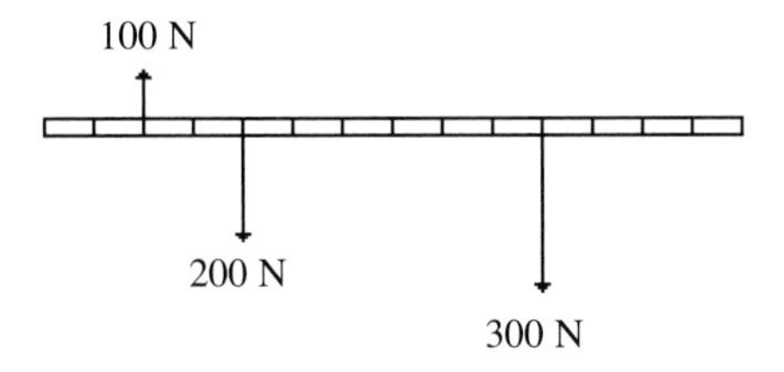

fig.88

12.-Idem bij krachten van 200 N, 500 N en 150 N (fig.89).

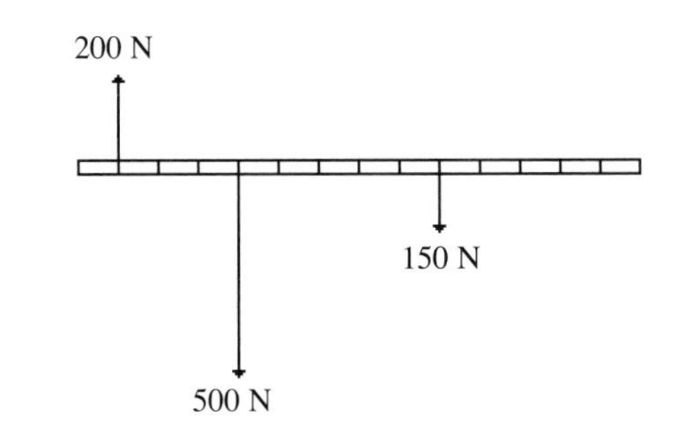

fig.89

13.-Een hefboom heeft een vaste draaiingsas in S. Twee evenwijdige krachten van 300 N en 400 N werken op de aangegeven wijze op de hefboom in (fig.90).

a.Teken de kracht die in A aangrijpt en de hefboom in evenwicht houdt.
b.Hoe groot is die kracht?

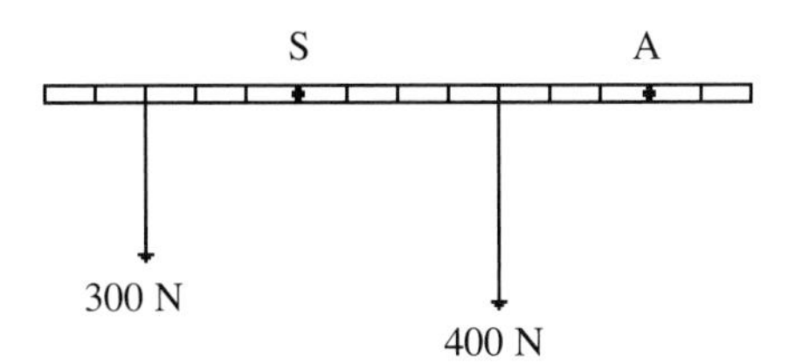

fig.90

Het begrip koppel

Als twee evenwijdige, tegengesteld gerichte krachten verschillend van grootte zijn, is er steeds een resultante te vinden, gelijk aan het "verschil" tussen de grootste en kleinste kracht (= de algebraïsche som).
Zijn die krachten echter gelijk, dan is de resultante = 0 (fig.96).
Een dergelijk stelsel van twee gelijke, evenwijdige, tegengesteld gerichte krachten, heet een koppel.
De loodrechte afstand tussen beide krachten is de arm van het koppel. Een koppel geeft geen translatie. Een koppel geeft aan een lichaam slechts rotatie.
De werking van een koppel is niet op te heffen door één enkele kracht, hiervoor is altijd een ander koppel nodig. De draaineiging van een koppel is afhankelijk van zijn moment. Onder het moment van een koppel verstaan we het product van één van de krachten en de arm.

fig.96 fig.97

De linker kracht levert een positief moment = F . 1/2 d = 0,5 F. d
De rechter kracht levert een positief momen = F . 1/2 d = 0,5 F. d

totaal moment positief F. d dus (fig.97):

M = F . d

d (distance) = loodrechte afstand tussen de krachten F

N.B. Daar het moment het product is van kracht en weg, is de eenheid van moment de N.m = de Joule = J.

Een koppel dat een lichaam met de wijzers van de klok mee doet draaien heeft een negatief moment. Een koppel dat een lichaam tegen de wijzers van de klok in doet draaien heeft een positief moment. Het bovenstaande koppel heeft dus een positief moment.

N.B. Als een lichaam zich vrij door de ruimte beweegt, zal iedere draaiing plaats vinden omeen as die door het zwaartepunt (Z) loopt.

Eigenschappen van koppels:

1.-Twee koppels zijn met elkaar in evenwicht als de algebraïsche som van hun momenten = 0 is.Voorbeeld: Wanneer bij het lopen de bekkenas draait om de lengte as met een moment = xJ (van boven gezien tegen de wijzers van de klok in), dan moet de schouderas een moment leveren van - xJ (van boven gezien met de wijzers van de klok mee). De contrabeweging van de schouders houdt het lichaam in balans.

2.-Een koppel mag in hetzelfde vlak worden vervangen door een ander koppel met hetzelfde moment. Voorbeeld:
Wanneer bij een salto tijdens het zweven het lichaam wordt gestrekt, wordt d groter, F.d is constant, F neemt af, de draaisnelheid wordt kleiner (later zullen we hier exacter op ingaan).

3.-Een koppel mag met behoud van zijn moment verplaatst worden naar een vlak, evenwijdig aan het oorspronkelijke vlak van werking.
Deze eigenschap speelt in de sport een belangrijke rol.
Vertaald betekent dit voor het menselijk lichaam dat rotaties niet zijn gebonden aan lichaamsassen, maar aan ruimtelijke assen.
Voorbeeld: Fosbury Flop bij het hoogspringen. Bij de afzet worden twee rotatie componenten "meegenomen":

- om een longitudinale as (= ruimtelijk een verticale as),
- om een sagittale as (= ruimtelijk een as evenwijdig aan de grond, die een hoek van 30°-45° maakt met de lat).

Deze, in de afzet "meegenomen" rotaties houden tijdens het zweven hun vaste asstand. Als gevolg hiervan zal de bij de afzet opgewekte rotatie om de longitudinale lichaamsas op het hoogste punt, door de veranderde lichaamsstand, overgegaan zijn in een draaiing om de sagittale lichaamsas. De bij de afzet opgewekte rotatie om de sagittale lichaamsas zal op het hoogste punt van de sprong, door de veranderde lichaamshouding boven de lat, zijn overgegaan in een achterwaartse rotatie om de transversale as.

N.B. Fouten in de techniek boven de lat, zal men dus veelal moeten vertalen in fouten bij de afzet (zie verder Atletiek deel I "het springen" van Leeuwenhoek, Verschoor en Van Heek).

Het biljartbaleffect.

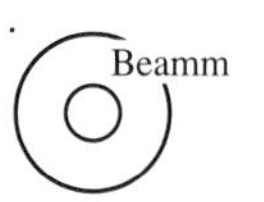

Zoals we in het voorgaande hebben gezien levert een kracht een translatie en een koppel een rotatie.
Voor een combinatie van translatie en rotatie zijn dus een kracht èn een koppel nodig.

Als we een biljartbal in het "hart" raken (d.w.z. de werklijn van de door de keu uitgeoefende kracht gaat door het zwaartepunt Z), dan zal de bal zich alleen verplaatsen (translatie) en niet roteren (fig.98). Dat de bal toch gaat draaien komt door de wrijving tussen de bal en het laken. Als de bal op deze wijze zou worden gestoten op zeer glad ijs, dan zou de bal zich schuivend gaan verplaatsen.

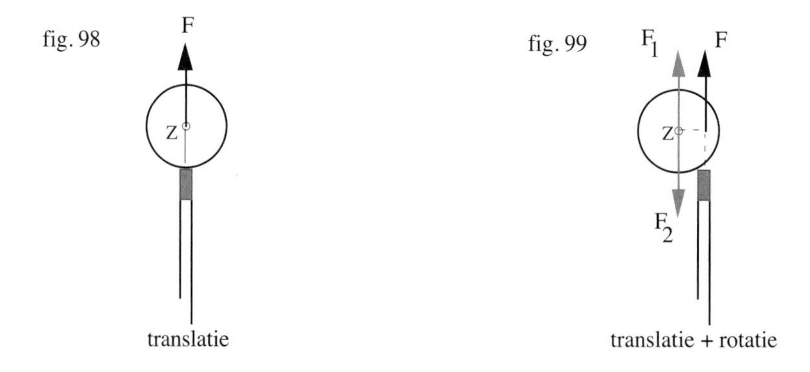

Impuls en hoeveelheid beweging

Wanneer een kracht gedurende een zekere tijd op een lichaam werkt, krijgt dit lichaam als gevolg hiervan een bepaalde snelheid. Welke snelheid hangt af van:

- de grootte van de kracht,
- de tijdsduur van de inwerking van de kracht.

Kracht in samenhang met de factor tijd brengt ons in aanraking met het begrip impuls.

Impuls = kracht x tijd
I = F x t

Is de inwerkende kracht constant, dan zal het lichaam een eenparig versnelde beweging krijgen. Hiervoor geldt: $v_t = v_o + at$. Gaan we ervan uit dat het lichaam oorspronkelijk in rust is, dan wordt de formule: $v_t = at$ of $a = v/t$. Daar de formule $F = m.a$ altijd geldig is, kunnen we schrijven:

$$F = m . v/t = m . v /t \quad \text{dus:} \quad \boxed{\mathbf{F.t = m.v}}$$

Het begrip F.t wordt de krachtstoot of de impuls van de kracht F gedurende de tijd t genoemd.
Het begrip m.v wordt de hoeveelheid beweging, ook wel de impuls van het lichaam genoemd.
Als gevolg van de impuls F.t krijgt het lichaam dus een hoeveelheid beweging gelijk aan m.v, dus F.t = m.v.

Heeft het lichaam op het moment dat de kracht gaat inwerken een beginsnelheid v_o, dan geldt op soortgelijke wijze de formule:

$$\boxed{\mathbf{F.t = m . (v_t - v_o)}}$$

Met andere woorden: de impuls is identiek aan de toename van de hoeveelheid beweging. Ook als de kracht in grootte niet constant is, geldt dat de som van de deelimpulsen gelijk is aan de toename van de hoeveelheid beweging van het lichaam. We krijgen dan te maken met het kracht-tijd-diagram (F-t-diagram, fig.103 a-b).

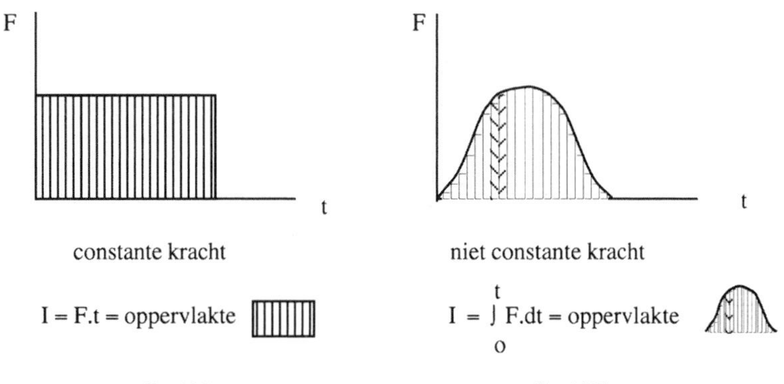

fig.103a fig.103b

Verdelen we de tijd tussen 0 en t seconden in zeer kleine tijdsdeeltjes Δt, dan mogen we in ieder van die tijdsdeeltjes de kracht als constant beschouwen. In zo'n tijdsdeeltje Δt bedraagt de deelimpuls $F.\Delta t$ (= oppervlakte smalle gearceerde rechthoek). In een volgend tijdsdeeltje Δt eveneens $F.\Delta t$.
De totale impuls is dan gelijk aan de som van alle deelimpulsen: $I = \sum F.\Delta t$, dus gelijk aan de som van de oppervlaktes van alle smalle rechthoekige stroken. De totale impuls is dus gelijk aan de oppervlakte tussen de t-as en de relatielijn. In de integraalrekening wordt dit geschreven als:

$$I = \int_{o}^{t} F.dt$$

De kracht wordt gemeten via zogenaamde rekstroken. De doorbuiging van een vlak waarop een rekstrook is bevestigd, wordt electrisch geregistreerd en op een met een constante snelheid bewegende papierstrook overgebracht.
De tijd kan worden gemeten met een snelle camera. Door het aantal beeldjes te tellen tijdens de werking van de kracht ontstaat het F-t-diagram.

De impuls is voor sportbewegingen van groot belang. De impulswaarde wordt, zoals we hebben gezien, bepaald door de grootte van de kracht en de tijdsduur van de inwerkende kracht. Deze twee factoren zijn in de sportbeweging (sprong, worp, beenstrekking bij het lopen en schaatsenrijden,enz.) elkaars tegenpolen, immers als de kracht toeneemt, wordt de beweging explosiever en neemt als gevolg daarvan de tijdsduur van de inwerking van de kracht af.
In de praktijk blijkt dat bij de explosieve beweging een optimale impulswaarde wordt bereikt als getracht wordt te werken met een **zo groot mogelijke kracht in een zo kort mogelijke tijd over een zo lang mogelijke weg**.
Wanneer we spreken van "lang contact", bedoelen we lang in ruimtelijke zin en niet in de zin van de tijd.
De grootte van de impuls is bepalend voor de snelheid die het lichaam of voorwerp wordt gegeven.
Voorbeelden: springen, werpen, lopen, slaan van een bal (hockey, honkbal, golf, enz.), stoten (kogel, biljartbal).
De impuls wordt in het S.I. uitgedrukt in N.s.
Kennen we de waarde van de totale impuls, uitgedrukt in N.s, dan kunnen we de snelheid berekenen die het lichaam als gevolg van de impuls krijgt, als ook de massa van het lichaam bekend is (zie voor impuls ook blz.9-11 van Atletiek deel I, Leeuwenhoek, Verschoor, Van Heek).

Wet van het behoud van impuls

Houdt een kracht F_1, na een zekere tijd gewerkt te hebben, op met werken, dan zijn de impulswaarde F.t, de hoeveelheid beweging m.v en de snelheid v die het lichaam krijgt, volledig bepaald. Als gevolg van een bepaalde impuls krijgt een lichaam, als er geen andere krachten op werken, een rechtlijnige, eenparige beweging. Zonder de zwaartekracht en wrijvingsweerstanden zou de snelheid tot in het oneindige constant blijven en de bewegingsbaan rechtlijnig.

8 Zwaartepunt

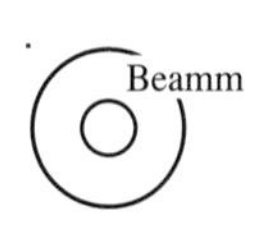

Wanneer we een plankje van een willekeurige vorm op een vinger ondersteunen, dan i er één bepaalde plaats te vinden, waarbij het plankje niet valt, maar in evenwicht blijf liggen. Hoewel de zwaartekracht op alle punten van het plankje inwerkt, blijkt er toch één punt te zijn dat als aangrijpingspunt van de zwaartekracht kan worden beschouwd Dit punt noemen we het zwaartepunt of het massamiddelpunt van het lichaam. Bij plat te homogene lichamen kan het zwaartepunt gemakkelijk worden bepaald. We neme bijvoorbeeld een stuk karton. Omdat het zwaartepunt zich steeds loodrecht onder he ophangpunt zal bevinden (loodrechte werking van de zwaartekracht), behoeven we ee dergelijk lichaam slechts op twee verschillende plaatsen op te hangen. Het snijpunt va de verticale lijnen vanuit de ophangpunten is dan het zwaartepunt.

Het zwaartepunt van een drie-dimensionaal lichaam is minder eenvoudig te bepalen Hiervoor zijn verschillende methoden in gebruik (o.a. de ophangmethode, de hefboom methode, de constructiemethode via deelzwaartepunten). We zullen hier niet nader o ingaan.

Een star lichaam heeft een vaste zwaartepuntsligging. Een beweeglijk lichaam zoals he menselijk lichaam niet. In elke lichaamshouding heeft het zwaartepunt een andere lig ging.
In rechtopgerichte stand ligt het zwaartepunt van het menselijk lichaam ter hoogte va het promontorium. De ligging van het "totale" zwaartepunt van het menselijk lichaam het l.z.p., wordt bepaald door de ligging van de deelzwaartepunten van hoofd, romp armen en benen. Daarom zullen veranderingen in lichaamshouding invloed hebben o de ligging van het lichaamszwaartepunt. Nieuwe groeperingen van lichaamsdele bewerkstelligen via nieuwe liggingen van deelzwaartepunten, een nieuwe ligging va het l.z.p..
Bij regelmatig gevormde voorwerpen is de zwaartepuntsligging gemakkelijk vast te stel len. Zo zal het zwaartepunt van een kogel in het middelpunt liggen, van een rechthoe kig blokje eveneens centraal, op het snijpunt van de middelloodlijnen van twee aan grenzende vlakken.

Het zwaartepunt van een voorwerp kan gevonden worden door samenstelling va deelzwaartepunten. Daar zwaartepunten aangrijpingspunten van de zwaartekrach zijn en de zwaartekracht een verticale werklijn heeft, is de constructie van het total zwaartepunt terug te voeren tot het samenstellen van een aantal evenwijdige krach ten tot één resultante. Het aangrijpingspunt van de resultante is dan het "totale zwaartepunt.

- Twee blokjes van dezelfde vorm en hetzelfde gewicht worden samengevoegd tot één (fig.104). De resultante $R = 2F_z$; $ZZ_1 : ZZ_2 = 1 : 1$.
- Twee blokjes waarvan het één het dubbele gewicht heeft van het ander, worden samengevoegd tot één (fig.105). $R = 3F_z$; $ZZ_1 : ZZ_2 = 2F_z : F_z = 2 : 1$.

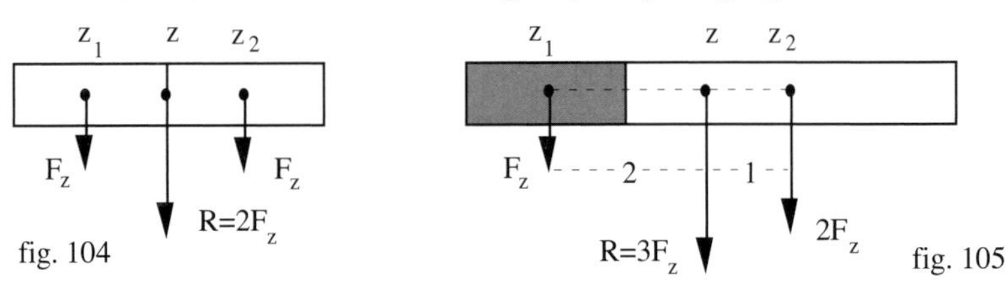

fig. 104

fig. 105

Het zwaartepunt kan ook buiten het lichaam liggen.

Twee blokjes, in de tekening afgebeeld, worden op de schuine zijde samengevoegd tot één, we krijgen dan een soort boemerangvorm (fig.106). De resultante $R = 2F_z$; $ZZ_1 : ZZ_2 = 1 : 1$.
Z ligt nu buiten het lichaam. Het centrale zwaartepunt is dus niet gebonden aan het stoffelijk gedeelte van het lichaam. Zo ligt het zwaartepunt van een hoepel in het middelpunt en dat van een boog tussen boog en pees (fig.107 en 108).

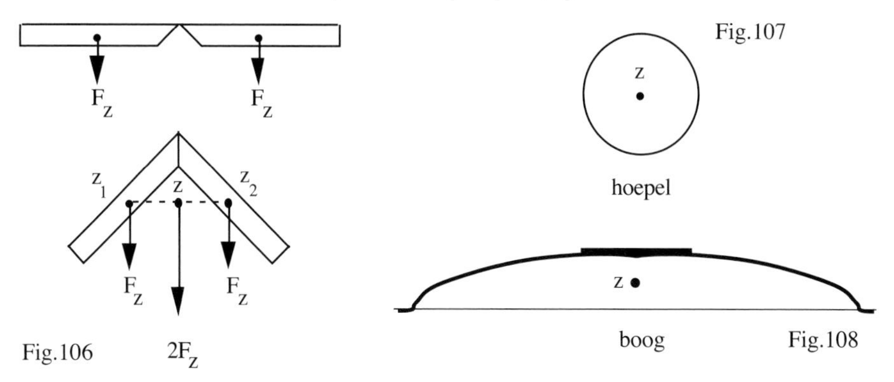

Fig.106

Fig.107

Fig.108

Dit is van groot belang voor b.v. het hoogspringen, waar op het hoogste punt van de sprong, door een bepaalde groepering van lichaamsdelen, het zwaartepunt ook buiten het lichaam kan komen te liggen. Theoretisch kan dan het zwaartepunt, dat zijn parabolische curve volgt (kogelbaan), onder de lat doorgaan. De afstand tussen het zwaartepunt en de onderste begrenzing van het lichaam gaat dan niet van de maximale hoogte van de parabool af, maar komt er juist bij. In de praktijk zal dit alleen te verwezenlijken zijn bij een feilloze uitvoering van de techniek van een Fosbury flop of een duikstraddle (fig.109 en 110).

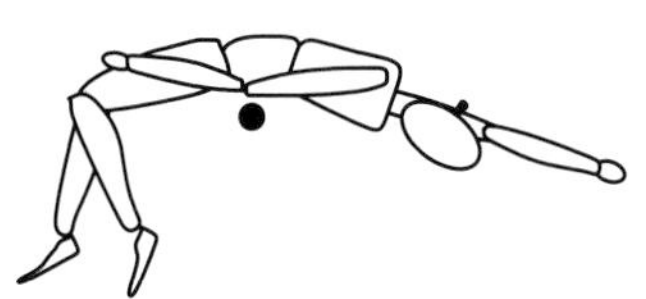

Fig.109

Fig.110

9 Evenwicht

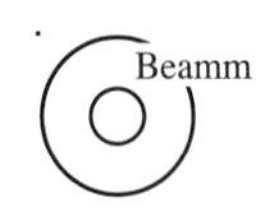

Een lichaam is in evenwicht als de resultante van alle uitwendige krachten, resp momenten, die op het lichaam werken gelijk is aan 0. We onderscheiden vier soor ten evenwicht:

- indifferent evenwicht,
- stabiel evenwicht,
- labiel evenwicht,
- metastabiel evenwicht.

Deze vier evenwichtssituaties kunnen aanwezig zijn:

a. zonder translatie en/of rotatie,

b. met translatie en/of rotatie.

We gaan bij de beschrijving uit van a en geven steeds voorbeelden van a en b.

Indifferent evenwicht

In het voorgaande hebben we gezien dat het zwaartepunt is te beschouwen als het aan grijpingspunt van de zwaartekracht. Steken we een dun pennetje door het zwaartepun van het lichaam, dan kunnen we constateren dat dit lichaam in iedere stand in evenwich is(fig.116). Dit lichaam is dan te beschouwen als een hefboom die in zijn zwaartepun wordt ondersteund. De zwaartekracht als enig werkende kracht loopt dan steeds door he steunpunt en de arm van de kracht is dan steeds = 0. Het moment van de zwaartekrach t.o.v. zijn steunpunt is dan in elke stand = 0 en het lichaam zal dus in iedere stand in even wicht zijn. We spreken hier van indifferent evenwicht.

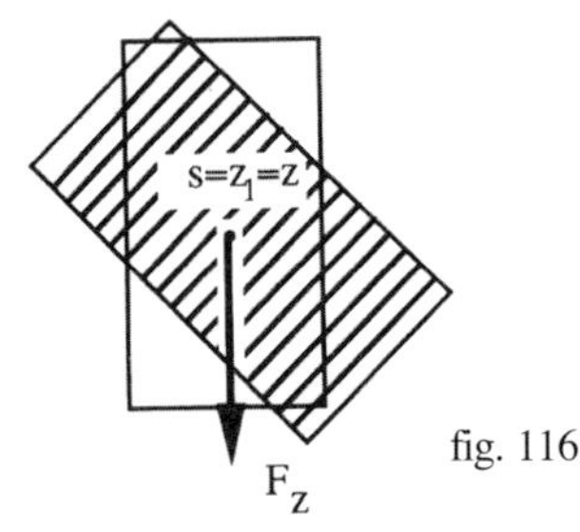

fig. 116

Het kenmerk van indifferent evenwicht is, dat bij verandering van stand het zwaar tepunt op hetzelfde niveau blijft. Voorbeelden:

a. -bepaalde vormen van steun, hurksteun of hoeksteun aan de rekstok, brug of ringen,
-een stilliggende bal op een horizontaal vlak,
-een stilstaand wiel op een horizontaal vlak,

b. -een rollende bal of cylinder en een rollend wiel op een plat vlak (fig.117).

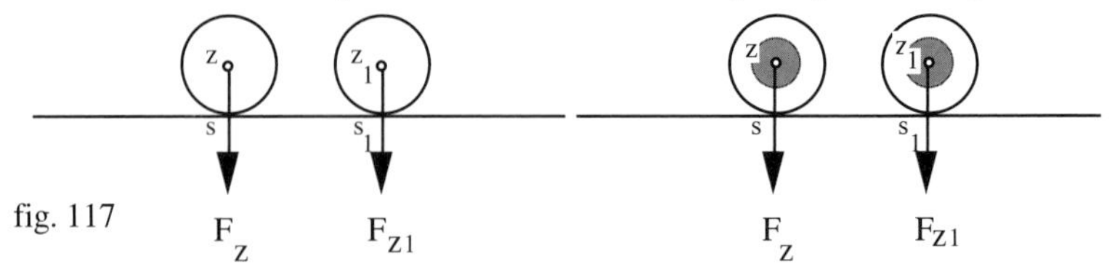

fig. 117

Stabiel evenwicht

Hangen we een blokje aan de as S, dan zal het blokje in evenwicht zijn (fig.118). De werklijn van F_Z loopt door S, de krachtsarm = 0, het draaimoment is dus tevens = 0. Brengen we het blokje in stand II, dan loopt de werklijn van F_Z niet meer door S en ontstaat er een draaimoment, dat het blokje, via een aantal slingeringen met een steeds kleinere uitslag, door de wrijving in S, tenslotte in stand I zal terugbrengen. Stand I is de stabiele stand.

Het kenmerk van stabiel evenwicht is, dat bij verandering van stand I het zwaartepunt stijgt (fig.118 en 119a en b).

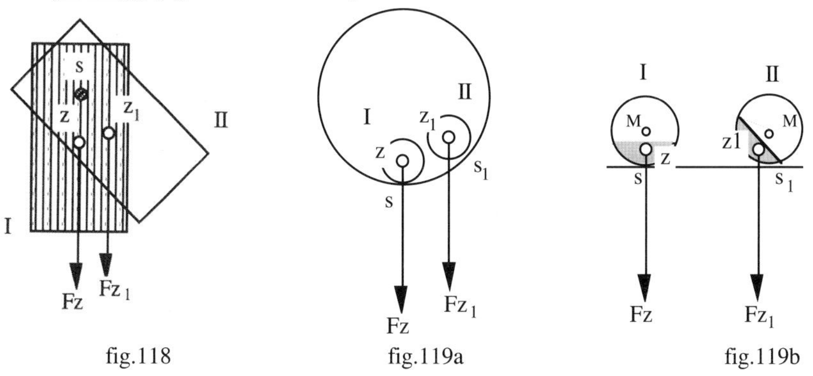

fig.118 fig.119a fig.119b

Voorbeelden:

a. -strekhang, buighang, knieënhang aan de rekstok, de ladder, de ringen, de touwen, het wandrek,

b. -het zich in hang of buighang verplaatsen aan bovengenoemde toestellen,
-zwaaien aan ringen, rekstok, touwen.

Labiel evenwicht

Zetten we een puntig stokje in punt S op tafel (fig.120), dan verkeert dit stokje in getekende stand I in evenwicht. Immers, de werklijn van F_Z loopt door S, de krachtsarm = 0, het draaimoment = 0. Deze toestand zal echter niet lang blijven bestaan: bij een lichte standsverandering zal een draaimoment ontstaan = F_Z.SA, dat geleidelijk groter wordt tot de horizontale stand (SA neemt steeds toe).

Het kenmerk van labiel evenwicht is, dat bij verandering van stand I het zwaartepunt daalt (fig.120 en 121a en b).

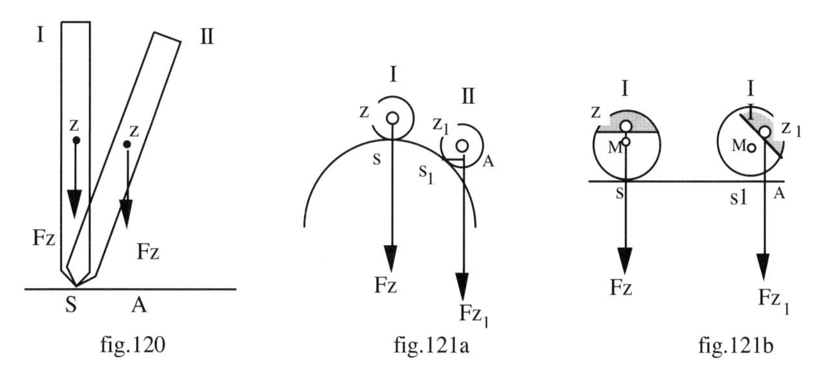

fig.120 fig.121a fig.121b

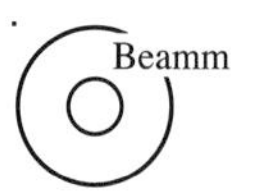

Stabiliteit

Bij sportbewegingen zien we vaak lichaamshoudingen, die weliswaar in evenwicht zijn, maar die zich naar hun graad van stabiliteit onderscheiden: een worstelaar in verdedigingshouding streeft naar een grote stabiliteit, waardoor het moeilijk is zijn evenwicht te verstoren. Daarentegen wil een zwemmer bij de start zijn evenwichtstoestand snel opgeven, dus streeft hij naar een geringe stabiliteit. De mate van stabiliteit hangt van de volgende factoren af:

1.-de grootte van het steunvlak,
2.-de hoogte van het lichaamszwaartepunt,
3.-de afstand van de projectie uit het lichaamszwaartepunt tot aan de rand van het steunvlak,
4.-het lichaamsgewicht.

<u>De grootte van het steunvlak.</u>

De stabiliteit is recht evenredig met het steunvlak, een turner die op één been staat, heeft een geringere stabiliteit dan wanneer hij op twee voeten staat of een uitvalspas maakt (fig.123).

fig.123

<u>De hoogte van het lichaamszwaartepunt</u>.

De stabiliteit is omgekeerd evenredig met de hoogte van het lichaamszwaartepunt. Hoe hoger het lichaamszwaartepunt, hoe geringer de stabiliteit. Een basketbalspeler die de bal verdedigt gaat door zijn knieën; hetzelfde zien we bij gevechtssporten om een grotere stabiliteit te verkrijgen.
(fig.124)

fig.124

De afstand van de projectie uit het lichaamszwaartepunt tot aan de rand van het steunvlak.

De stabiliteit is recht evenredig met de afstand van de projectie uit het zwaartepunt tot aan de rand van het steunvlak. Door bijvoorbeeld voorover te buigen, bij welke sportbeweging dan ook, wordt deze afstand geringer en dus de stabiliteit geringer. Dit kan juist de bedoeling zijn, b.v. bij een staande start in de atletiek of bij het uitlopen vanaf de doellijn door een verdediger bij het nemen van een strafcorner bij hockey. Het omgekeerde kan ook het geval zijn: de projectie netjes in het midden van het steunvlak, wanneer grote stabiliteit gewenst is (fig.125).

fig.125

Het lichaamsgewicht.

De stabiliteit is recht evenredig met het lichaamsgewicht. Bij een gelijke lichaamshouding heeft de persoon met het grootste lichaamsgewicht de grootste stabiliteit.

De punten 1 tot en met 4 geven antwoord op belangrijke vragen uit de sport: b.v. welke houding moeten we aannemen om snel in een bepaalde richting te kunnen weglopen? Hierbij kunnen we denken aan een spelsituatie of aan een start bij de sprint in de atletiek of een start bij de 1500 m in de atletiek. Welke lichaamshouding moeten we aannemen om een zo groot mogelijke stabiliteit te verkrijgen?
Om snel in een bepaalde richting te kunnen starten moeten we b.v. het lichaamszwaartepunt hoog boven het steunvlak brengen en vlak bij de rand van het steunvlak in de bewegingsrichting (we hebben uiteraard ook te maken met hoekverhoudingen in gewrichten i.v.m. een gunstige aangrijpingshoek van de spieren).

Grote stabiliteit:

groot steunvlak, l.z.p. laag, projectie l.z.p. in het midden van het steunvlak en een grote lichaamsmassa.

10 Rotatie

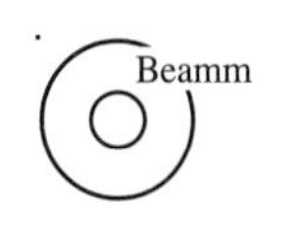

Traagheidsmoment

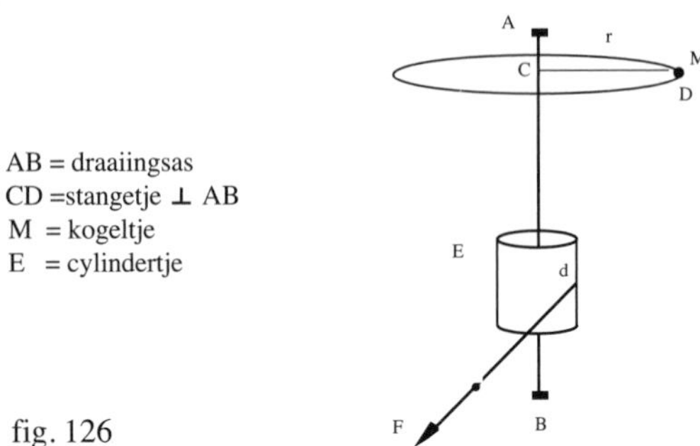

fig. 126

AB is een draaiingsas, CD een dun stangetje, vast bevestigd aan AB, dat in een vlak loodrecht op AB kan draaien; M is een kogeltje met de massa m. De afstand van M tot C = r (fig.126). Om M in een cirkelbeweging om de as AB te brengen is een koppel nodig. Dit koppel kan tot stand komen door om het cylindertje E een koord te winden en hierop gedurende een bepaalde tijd een constante kracht uit te oefenen (vergelijk met de starter van een buitenboordmotor). Er wordt dan gedurende een bepaalde tijd een constant koppel M = Fd uitgeoefend.
Zoals bij de translatie een constante kracht aan een bepaalde massa een constante versnelling geeft (F = m.a), zo geeft een constant koppel aan een roterend massapunt een constante hoekversnelling. De grootte van die hoekversnelling blijkt nu niet alleen afhankelijk te zijn van de massa van het roterend punt, maar ook van de afstand van het roterend punt tot de draaiingsas, dus van r. Bij een constant koppel blijkt nu:

moment	massa	straal	hoekversnelling
M	m	r	ß
M	2m	r	1/2ß
M	m	2r	1/4ß
M	2m	2r	1/8ß

De hoekversnelling is dus omgekeerd evenredig met de massa en omgekeerd evenredig met het kwadraat van de straal r. Wil men dus een gelijke hoekversnelling bereiken, dan zal men bij verdubbeling van m en r een 8x zo groot koppel moeten leveren, dus in dit geval een 8x zo grote kracht moeten uitoefenen.
Hoe groter de roterende massa en hoe groter de afstand van die roterende massa tot de draaiingsas, hoe moeilijker de "traagheid" van het roterend lichaam is te overwinnen en hoe groter de koppels moeten zijn om eenzelfde hoekversnelling tot stand te brengen.We spreken daarom van het traagheidsmoment van het massapunt t.o.v. de draaiingsas. In de mechanica wordt dit traagheidsmoment weergegeven door de letter J. Voor een roterend massapunt geldt dat het traagheidsmoment evenredig is met de massa en het kwadraat van de straal, dus:

$$J = m\, r^2$$

Uit de formule volgt dat de eenheid van traagheidsmoment de $kg.m^2$ is.

Het traagheidsmoment van een lichaam

De bepaling van het traagheidsmoment van een lichaam is een tamelijk ingewikkelde zaak, die zonder hogere wiskunde niet is op te lossen. Zo is voor een dunne ring het traagheidsmoment $J = m.r^2$. Voor een wiel met zeer dunne spaken (massa van de spaken t.o.v. de velg te verwaarlozen) eveneens ten naaste bij $m.r^2$.
Voor een massieve schijf echter: $0{,}5\ m.r^2$ (de massa is dan niet geconcentreerd ver van de draaiingsas, maar is gelijkmatig over het oppervlak verdeeld). Construeren we dus een schijfwiel en een spaakwiel met een gelijke massa en gelijke uitwendige straal, dan is het traagheidsmoment van het schijfwiel ongeveer de helft van het spaakwiel. Laten we deze twee wielen gelijktijdig van een helling naar beneden rollen, dan zal het schijfwiel eerder beneden zijn dan het spaakwiel (fig.127a, -b, -c).

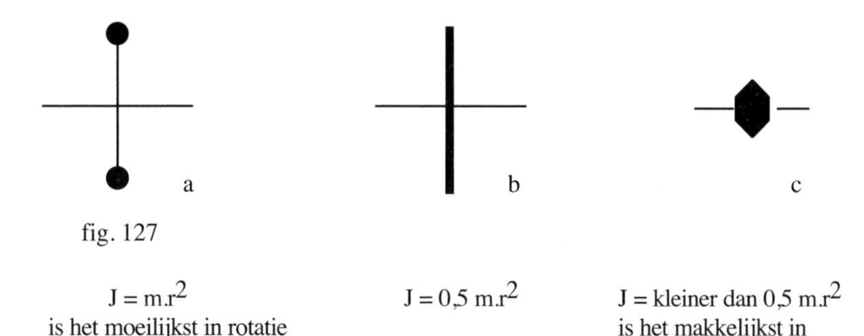

fig. 127

$J = m.r^2$ is het moeilijkst in rotatie te brengen

$J = 0{,}5\ m.r^2$

$J =$ kleiner dan $0{,}5\ m.r^2$ is het makkelijkst in rotatie te brengen

De invloed van het traagheidsmoment bij rotaties van het menselijk lichaam

Bij het menselijk bewegen zijn traagheidsmomenten van lichaamsdelen, die om een bepaalde as roteren, zeer moeilijk te bepalen en in formules uit te drukken. Wel kunnen we in grote lijnen de principes aangeven die bepalend zijn voor het bewegingsverloop:

- hoe groter de massa van de roterende lichaamsdelen, hoe kleiner de hoekversnelling als gevolg van een bepaald draaimoment, dus hoe kleiner de draaisnelheid (hoeksnelheid);
- Hoe verder de massa van de roterende lichaamsdelen van de draaiingsas verwijderd is, hoe groter het traagheidsmoment, hoe kleiner de hoekversnelling bij een bepaald draaimoment, dus hoe kleiner de draaisnelheid.

Het traagheidsmoment t.o.v. een bepaalde draaiingsas heeft bij een star lichaam een vaste waarde. Bij het in gewrichten beweeglijke menselijke lichaam is het traagheidsmoment afhankelijk van:

-de massa,
-de afstand van bepaalde lichaamsdelen tot de draaiingsas,
-de houding van het lichaam (gestrekt, gehurkt, gehoekt, enz.).

Twee zaken zijn voor de bewegingsanalyse in dit verband van belang:

- de draaiingsas zal, als het bodemcontact is verbroken (b.v. bij springen), altijd door het lichaamszwaartepunt lopen;
- tijdens de zweeffase kan het traagheidsmoment door inwendige krachten (spierkracht) gewijzigd worden, waardoor de draaisnelheid kan worden beïnvloed.

Interessanter dan de vraag wat de absolute waarde van het traagheidsmoment in een bepaalde houding is, is de vraag hoe b.v. in gestrekte houding de verhouding is tussen de traagheidsmomenten om de longitudinale (lengte)-, de sagittale (diepte)-en de frontale (breedte) as?
Deze verhouding is ongeveer 1 : 12 : 10.
Welke konsekwenties heeft dat voor bewegingen om meerdere assen tijdens de zweeffase (b.v. bij trampolinespringen, turnen, grondgymnastiek, schoonspringen, e.d.)?

Zoals we bij de bespreking van eigenschappen van koppels hebben gezien, zijn na de afzet, als het bodemcontact is verbroken, rotaties gebonden aan assen die een vaste stand in de ruimte hebben. Door een nieuwe lichaamsstand in de ruimte kan dan bijvoorbeeld een oorspronkelijke rotatie om de transversale as overgaan in een rotatie om de longitudinale as. Daar de traagheidsmomenten zich verhouden als 10 : 1, zal de draaisnelheid om de longitudinale as ongeveer 10x zo groot worden. Voor de leek ontstaat dan de indruk dat "spontaan" een draaiing om de longitudinale as kan worden opgewekt. Dat is echter nimmer het geval. We komen daar nog nader op terug.
Een voorbeeld kan het bovenstaande verduidelijken:

Stel dat een trampolinespringer tijdens de afzet (hier is bodemcontact en is er sprake van uitwendige krachten) 2 rotaties "meeneemt":

1. één om de sagittale as (= diepte as),
2. één om de frontale as (= breedte as).

De eerste rotatiecomponent zal trachten de massa te laten roteren in een bij de afzet transversaal vlak. Daardoor zal het lichaam van de verticale - in de horizontale stand worden gebracht.
De tweede rotatiecomponent zal trachten de massa te laten roteren in een bij de afzet sagittaal vlak. Daardoor zal het lichaam een voorwaartse rotatie krijgen.
Beide componenten werken gelijktijdig. Er zal dan ook een ingewikkeld bewegingspatroon optreden. Op een bepaald moment is het lichaam door de 1e component in de horizontale positie gekomen. De 2e component "ontmoet" het lichaam dan in een horizontale stand. T.o.v. het lichaam is die 2e component overgegaan in een rotatie om de lengte as. De draaisnelheid om de lengte as zal dan ongeveer 10x zo groot zijn als de oorspronkelijke 2e component (longitudinaal : frontaal = 1 : 10).

Daar bij gelijktijdige rotaties om meerdere assen de massa niet in het voor elke rotatie "ideale" vlak kan bewegen, ontstaan ingewikkelde bewegingen, die bestudering tot een moeilijke zaak maken.
Uitgangspunten hierbij zijn:

- -rotaties worden opgewekt tijdens de afzet (uitwendige krachten),
- -rotaties hebben een vaste asstand in de ruimte,
- -rotatie-energie kan door andere lichaamsstanden van de ene lichaamsas over gaan op de andere lichaamsas,
- -de draaisnelheden om die lichaamsassen kunnen daardoor sterk variëren.

Rotatie-energie

Zoals een lichaam dat een translatie ondergaat een hoeveelheid kinetische-energie bezit (0,5 mv^2), zo heeft een roterend lichaam een hoeveelheid rotatie-energie:

$E_{kin} = 0{,}5\ mv^2$, daar $v = \omega.r$, is $E_{rot} = 0{,}5\ m.\omega^2.r^2 =$

$0{,}5\ (m.r^2).\omega^2 =$, daar $J = mr^2$, is $\boxed{E_{rot} = 0{,}5\ J.\omega^2}$

Rotatie-energie is een vorm van mechanische energie. De mechanische energie is dus te onderscheiden in:

- potentiële energie : --géén translatie --géén rotatie,
- kinetische energie : --translatie,
- rotatie-energie : --rotatie.

Ook voor de rotatie-energie geldt de wet van het behoud van energie: jojo, gyroscoop.

Rotatie-energie is een vorm van energie = arbeid. De eenheid is dus de N.m = Joule (J).
Afleiding:

$$F = m.a \qquad m = \frac{F}{a} \qquad \boxed{kg} = N : \frac{m}{s^2} = \boxed{\frac{N.s^2}{m}} \qquad (1)$$

$$v = \omega.r \qquad \boxed{\omega} = \frac{v}{r} \qquad \omega = \frac{m}{s} : m = \frac{1}{s} \qquad \text{dus: } \boxed{\omega^2 = \frac{1}{s^2}} \qquad (2)$$

$$E_{rot} = \frac{1}{2}\ J.\omega^2 \longrightarrow kg.m^2.\frac{1}{s^2} = \frac{N.s^2}{m}.m^2\frac{1}{s^2} = N.m = \text{Joule (J)}$$

Impulsmoment en hoeveelheid rotatie

In het voorgaande hebben we gezien dat bij translatie een kracht F gedurende een zekere tijd t op een lichaam werkend, aan dat lichaam een hoeveelheid beweging geeft gelijk aan m.v (F.t=m.v).
F.t was de impuls van de kracht F gedurende de tijd t, m.v was de hoeveelheid beweging van het lichaam.
Bij de roterende beweging vinden we analoge grootheden voor de begrippen impuls en hoeveelheid beweging:

Een koppel M, dat gedurende een tijd t werkt op een lichaam, geeft aan dat lichaam een hoeveelheid rotatie.

Zoals F.t bij de translatie de impuls van de kracht wordt genoemd, zo wordt M.t bij de rotatie het impulsmoment van het koppel genoemd.
Zoals m.v bij de translatie de hoeveelheid beweging wordt genoemd, zo wordt J.ω bij de roterende beweging de hoeveelheid rotatie genoemd.

Voor de bewegingstechniek biedt dit vele mogelijkheden: heeft men een te groot impulsmoment in de afzet meegenomen, dan kan men toch correct landen door eerder te strekken. Heeft men te weinig impulsmonent meegenomen, dan kan men dit herstellen door langer gehurkt te blijven en later te strekken.
Wordt bij de afzet voor een sprong geen draaimoment aan het lichaam meegegeven (de resultante van alle bij de afzet betrokken krachten loopt dan voortdurend door het zwaartepunt), dan is het impulsmoment = 0 en de hoeveelheid rotatie eveneens = 0. Er is dan uitsluitend schijnrotatie of reactieve draaiing mogelijk.

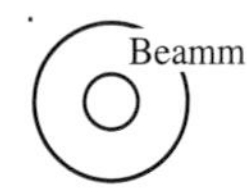

Schijnrotatie of reactieve draaiing

Een "echte" rotatie ontstaat vanuit het contact met de bodem als gevolg van uitwendige krachten. Na de afzet is het impulsmoment bepaald, dus ook de hoeveelheid rotatie. Tijdens het zweven kan de rotatie niet worden stopgezet, alleen door het traagheidsmoment te veranderen kan de draaisnelheid worden beïnvloed.
Een echte rotatie heeft een dynamisch karakter.

Een schijnrotatie komt tot stand door inwendige krachten, wanneer het bodemcontact is verbroken. Het is een nieuwe groepering van lichaamsdelen rond het lichaamszwaartepunt, waarbij lichaamsdelen aan de ene kant van het zwaartepunt met de klok mee bewegen en gelijktijdig lichaamsdelen aan de andere kant van het zwaartepunt tegen de wijzers van de klok in bewegen. Is de nieuwe groepering van lichaamsdelen tot stand gekomen, dan staat het lichaam weer stil.
Een schijnrotatie heeft dus een statisch karakter.

Zowel bij de "echte" rotatie als bij de schijnrotatie loopt de draaiingsas altijd door het lichaamszwaartepunt.

Voorbeelden:

1. Iemand maakt een rechtstandige sprong vanaf de minitrampoline; op het hoogste punt hoekt hij (fig.128). Er ontstaat een nieuwe groepering van lichaamsdelen om het zwaartepunt. Het bovenlichaam draait om de breedte-as met de wijzers van de klok mee (in translatieterminologie naar voren), de benen draaien om dezelfde as tegen de wijzers van de klok in (in translatieterminologie eveneens naar voren).

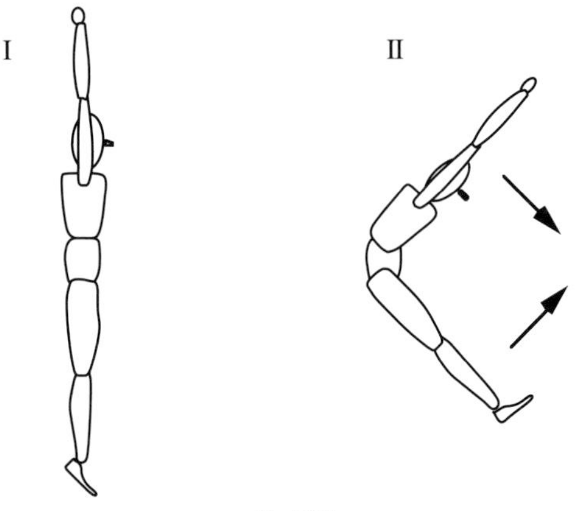

fig.128

Na het samenklappen is de beweging beëindigd. Als direct daarna het lichaam weer wordt gestrekt, ontstaat weer stand I, in welke houding wordt geland. Er heeft dus geen "echte" draaiing plaatsgevonden. In stand II is de romp "in schijn" gedraaid, zijn de benen eveneens "in schijn" gedraaid. In werkelijkheid is geen nieuwe stand van het lichaam bereikt.

2. Wanneer we rechtop op de grond staan en we heffen de armen voorwaarts, dan is het eenvoudig om een draaiing om de lengte-as tot stand te brengen door de voorwaarts geheven armen naar links of rechts te bewegen. De weerstand op de grond dient dan als vast punt voor de uitwendige krachten die deze beweging veroorzaken (zie ook fig. 1.11, atletiek I, Leeuwenhoek, Verschoor, Van Heek). Proberen we echter, staande op een zogenaamde weerstandsloze draaitafel (d.i. een ronde tafel op goed geöliede lagers, waardoor de weerstand praktisch is te verwaarlozen), op dezelfde wijze een draaiing om de lengte-as te maken, dan lukt dat niet. De heupen en voeten draaien dan in tegengestelde richting weg, omdat voor de uitwendige kracht geen vast punt (= weerstand op de grond) aanwezig is. Er wordt een middenstand bereikt met de armen en de romp naar rechts en de heupen en de voeten naar links gedraaid (fig. 1.12, atletiek I).
Er is dus geen wezenlijke draaiing ontstaan, maar een schijnrotatie om de lengte-as, een nieuwe groepering van lichaamsdelen om het zwaartepunt, die zich openbaart in een torsie van het lichaam. Draaien we de armen in hetzelfde vlak terug tot de uitgangshouding, dan draaien ook de heupen en de voeten weer (in tegengestelde richting) in de uitgangshouding terug.

Combinatie van rotatie en schijnrotatie

Vaak komt echte rotatie en schijnrotatie gecombineerd voor. De schijnrotatie zal dan tijdelijk (gedurende het tot stand komen van de nieuwe groepering van lichaamsdelen om het zwaartepunt), de draaisnelheid van bepaalde lichaamsdelen vergroten en gelijktijdig de draaisnelheid van andere (aan de nadere kant van het lichaamszwaartepunt liggende) lichaamsdelen verminderen.

Voorbeeld:

Een schoonspringer neemt van de plank draaiing mee voor 1 1/2 salto voorover. De springer verlaat de plank nagenoeg gestrekt. Op het hoogste punt hoekt hij (schijnrotatie). De draaisnelheid van hoofd en romp zal hierdoor tijdelijk worden versneld, de draaisnelheid van de benen tijdelijk vertraagd.

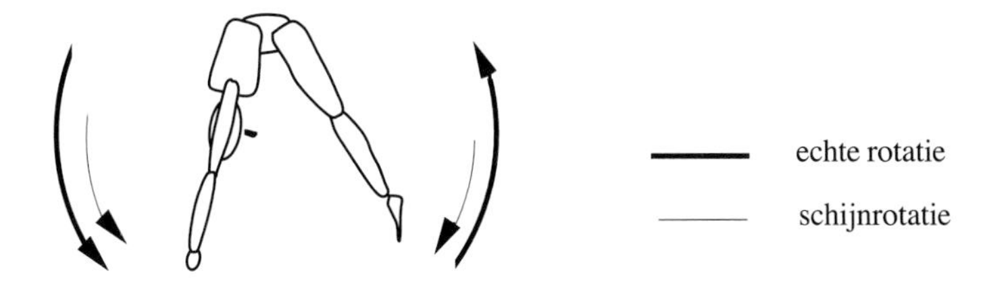

fig.129

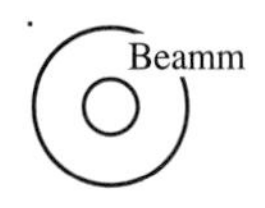

De schroefbeweging

De schroefbeweging is een combinatie van rotatie om de breedte-as en de lengte-as. De rotatie om de breedte-as wordt altijd via het bodemcontact "meegenomen". Dit is een echte rotatie, die tijdens het zweven niet kan worden gestopt. Door het traagheidsmoment van het lichaam t.o.v. de transversale as te veranderen, kan alleen de draaisnelheid worden versneld of worden vertraagd.

De rotatie om de lengte-as kan op 2 manieren tot stand komen:

- Eveneens vanuit het bodemcontact, dus door uitwendige krachten. Het nadeel van deze methode is dat deze lengte-as draaiing niet kan worden stopgezet. Dit is in sporten waar landen in balans een belangrijke rol speelt (turnen-schoon springen) een nadeel.
- Door tijdens de zweefperiode d.m.v. een schijnrotatie het lichaam een niet verticale stand te geven, waardoor een combinatie van 2 rotaties ontstaat: om de breedte-as en om de lengte-as (fig.130).
  Dit kan b.v. op de volgende manier gebeuren: vanuit een houding met de armen zijwaarts(I), wordt één arm naar de romp naar beneden gebracht en één arm omhoog in het verlengde van de romp. Hierdoor ontstaat een niet-verticale stand van het lichaam (II, schijnrotatie om de diepte-as). De draaiingsas blijft echter horizontaal, deze is immers gebonden aan een vaste stand in de ruimte. Hierdoor ontstaat een combinatie van een rotatie om de breedte-as en de lengte-as. Wanneer op een bepaald moment, door inwendige krachten stand I weer wordt hersteld, werkt alle draai-energie weer om de breedte-as. De draaiing om de lengte-as is dan gestopt. Deze methode levert een beter controleerbare landing op.

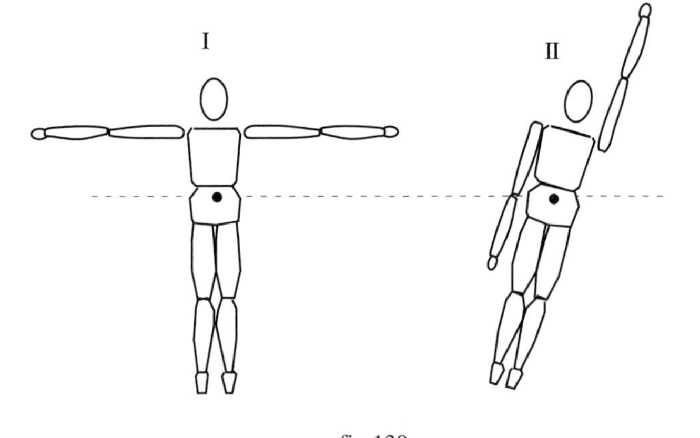

fig.130

Samenvatting:

- Echte rotatie wordt opgewekt door uitwendige krachten tijdens het bodemcon tact, waarbij:
  - -na de afzet het impulsmoment, dus ook de hoeveelheid rotatie, is bepaald (x J.s),
  - -de rotatie niet kan worden gestopt,
  - -de rotatiesnelheid kan worden beïnvloed door verandering van het traagheidsmoment om de rotatie-as.
- Schijnrotatie wordt opgewekt door inwendige krachten, wanneer het bodemcontact is verbroken, waarbij, na het tot stand komen van de nieuwe groepering van lichaamsdelen om het zwaartepunt, de beweging stopt.

Dit heeft belangrijke konsekwenties voor het aanleren van bepaalde bewegingstechnieken. Als in de afzet geen echte rotatie is opgewekt, kan deze in de zweeffase niet meer worden opgewekt. Belangrijke standsveranderingen in de ruimte zijn dan niet meer mogelijk. Kleine standsveranderingen nog wel.

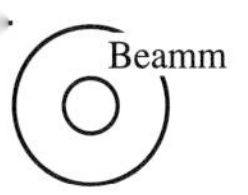

Mogelijkheden om een nieuwe stand in de ruimte te verwezenlijken, als in de afzet geen draaiing wordt meegenomen:

1. via kringelbewegingen van armen, benen of heupen.
2. via schijnrotaties met wisselende traagheidsmomenten.
3. via schijnrotaties om twee assen.

1. Via kringelbewegingen van armen, heupen of benen.

Voorbeeld a:
Een schansspringer die met een lichte rotatie voorover afspringt. Door de armen in dezelfde richting te kringelen ontstaat een achterwaartse tegenbeweging van het hele lichaam (actie = -reactie). Daar er een groot verschil bestaat tussen de traagheidsmomenten van de beide armen, t.o.v. de schouder-as en het totale traagheidsmoment van het hele lichaam t.o.v. het zwaartepunt, zal men op deze wijze slechts kleine evenwichtsverstoringen kunnen corrigeren.

Voorbeeld b:
Een turnster die op de evenwichtsbalk het evenwicht dreigt te verliezen doet hetzelfde. Ook dan kunnen slechts kleine evenwichtsverstoringen worden gecorrigeerd.

2. Via schijnrotaties met wisselende traagheidsmomenten.

We hebben in het voorgaande gezien dat de draaiingsassen bij rotaties en schijnrotaties altijd door het lichaamszwaartepunt lopen. De massa's aan beide zijden van het zwaartepunt zijn gelijk. Dit is echter niet het geval met de traagheidsmomenten. De hoeken waarover de lichaamsdelen bij een schijnrotatie draaien zijn dan ook niet gelijk. Dit hangt af van de grootte van de traagheidsmomenten aan beide zijden van het zwaartepunt.

Voorbeeld a (fig.131):
Na een rechtstandige sprong (stand I) wordt gehoekt.

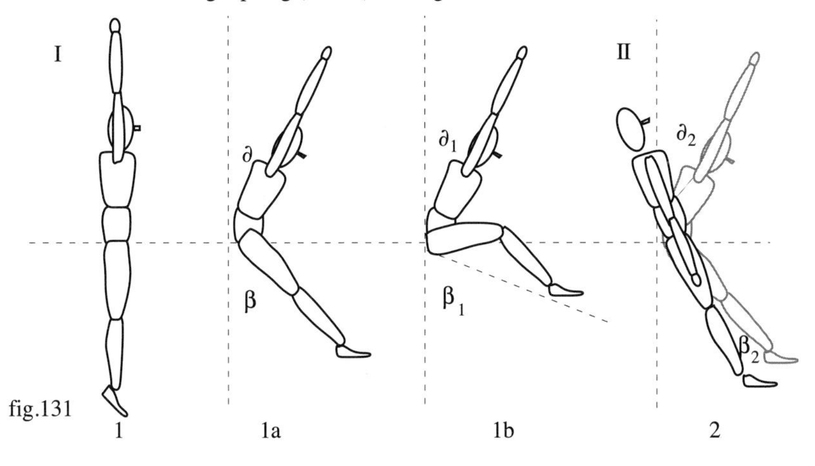

fig.131

Het hoeken kan, extreem gesteld, op 2 manieren:

a. met de armen langs het lichaam (J_1 relatief klein) en de benen gestrekt (J_2 relatief groot). De romp zal dan over een bepaalde hoek ∂ met klok mee draaien, de benen over een bepaalde hoek β, tegen de wijzers van de klok in (stand 1a).

b. met de armen hoog langs de oren (J_1 relatief groot) en de benen gebogen (J_2 relatief klein, stand 1b). In dit geval zal de romp over een kleinere hoek draaien en de benen over een grotere hoek dan in 1a (∂_1 kleiner dan ∂ en β_1 groter dan β). Strekt men nu het lichaam (nieuwe schijnrotatie) in omgekeerde situatie: armen langs het lichaam (J_1 klein) en de benen gestrekt (J_2 groot), dan ontstaat een nieuwe stand in de ruimte van het lichaam: <u>meer achterover</u>, stand II (∂_2 groter dan ∂_1 en β_2 kleiner dan β_1).

In schema:

situatie	hoek romp in graden	hoek benen in graden
1	0	0
1 → 1b	-30	+60
1b → 2	+60 +	-30 +
2	+30	+30

Hoek = hoek waarover romp en benen draaien.
- = de draaiing met de klok mee.
+ = de draaiing tegen de klok in.

Resultaat: het gehele lichaam is in een nieuwe stand gekomen: 30° achterover gedraaid.

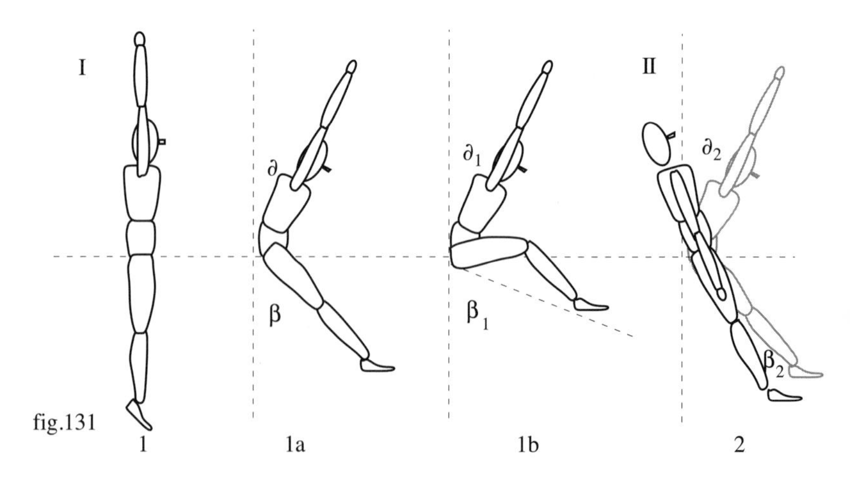

fig.131

Voorbeeld b:
Om de lengte-as kan op soortgelijke wijze een nieuwe stand bereikt worden op de weerstandsloze draaitafel. Als men de voorwaarts geheven armen naar links draait, draaien de voeten naar rechts weg. Als men nu terugdraait met de armen langs het lichaam, dus met een kleiner J_2, ontstaat een nieuwe stand (x^o naar rechts).
Verklaar dit op de boven aangegeven wijze.

3. Via schijnrotaties om twee assen.

Het beste kan deze vorm beschreven worden aan de hand van een voorbeeld:
We beschrijven een rechtstandige sprong met 1/4-draai om de lengte-as links om (trampoline, minitramp, schoonspringen).
Er wordt hierbij geen draaiing om de lengte-as vanaf de afzetplaats meegenomen.

De lengte-asdraai komt als volgt tot stand:

- op het hoogste punt wordt gehoekt (fig.132a). De hoek ∂ tussen romp en benen wordt de nutatiehoek of kortweg de nutatie genoemd.
- er ontstaan nu 2 assen van draaiing (fig.132b): -één door de romp (I)
-één door de benen (II)
- door inwendige krachten (draaispieren) worden nu snel hoofd, schouders en benen links om gedraaid. Dit is de zogenaamde "eigen draaiing". Er vinden nu gelijktijdig 2 schijnrotaties plaats: a.één om de as I
b.één om de as II

a. T.o.v. as I is J_1 klein en J_2 groot. De romp draait daardoor over een grotere hoek naar links dan de benen naar rechts.
b. T.o.v. as II is J_1 groot en J_2 klein. De benen draaien daardoor over een grotere hoek naar links dan de romp naar rechts.

as	hoek romp in graden	hoek benen in graden
I	+120	-30
II	-30 +	+120 +
	+90	+90

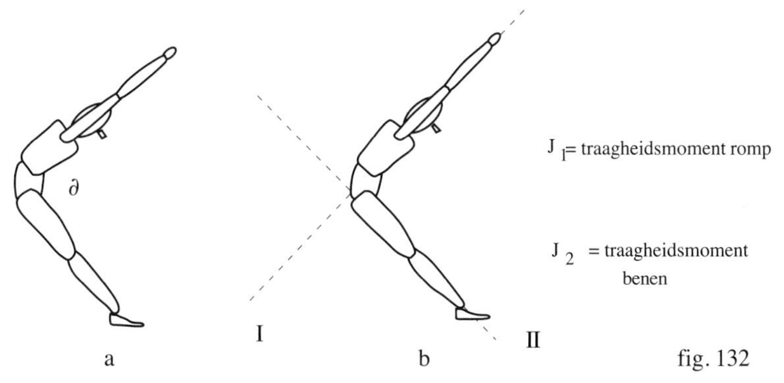

fig. 132

Resultaat: een nieuwe stand in de ruimte van het hele lichaam: 90° gedraaid om de lengte-as naar links.

- Direct wanneer deze nieuwe stand bereikt is wordt het lichaam weer gestrekt. Er ontstaat dan weer één lengte-as. Er wordt geland met 1/4 draai links om.

15.- Welke rotatiecomponenten zijn noodzakelijk bij de afzet voor de Fosbury-flop?

16.- Hoe worden deze rotatiecomponenten bij de "flop" opgewekt?

17.- Wat moet de aanwijzing zijn om een onvoldoende horizontale ligging van het lichaam op het hoogste punt van de "flop" te corrigeren?

18.- Wat moet de aanwijzing zijn om een te evenwijdige ligging t.o.v. de lat te corrigeren?

19.- Welke schijnrotaties treden bij de "flop" op?

20.- Verklaar dat bij de "flop" de zweeftijd boven de lat kort is ondanks de ligging loodrecht op de lat?

21.- Waardoor ontstaat bij de driesprong na de hink en de stap gemakkelijk een voorwaartse rotatie?

22.- Welke aanwijzingen moeten worden gegeven om de fout uit vraag 21 te corrigeren?

23.- Wat is de verklaring van het feit dat een kat altijd op zijn pootjes terecht komt?

24.- Wat is de aanwijzing om bij het ringzwaaien een goede halve of hele draai te maken?

25.- Hoe komt een keersprong uit de brug met een halve draai effectief tot stand?

26.- Hoe kan men bij het ringzwaaien de bewegingsuitslag vergroten zonder van de grond af te zetten?

27.- Hoe kan een schoonspringster bij een 3 1/2 salto van de toren voorkomen dat bij het in het water komen de benen boven water doorslaan?

11 Aerodynamica

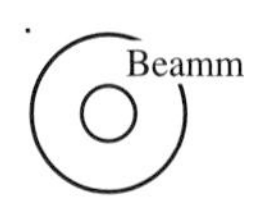

Enkele onderwerpen uit de aerodynamica, die bij de analyse van sportbewegingen van belang zijn.

Om de aerodynamische verschijnselen, die zich tijdens het bewegen van een voorwerp (bal, kogel, speer, discus, frisbee, kleiduif, enz.) door de lucht voordoen, te begrijpen en op de juiste wijze te interpreteren, is kennis van een aantal begrippen noodzakelijk:

- de relatieve snelheid van de luchtstroom,
- aerodynamische krachten:
  - -weerstandskrachten,
  - -krachten als gevolg van luchtdrukverschillen.

De relatieve snelheid van de luchtstroom

Als een voorwerp zich door de lucht beweegt, wordt lucht weggedrukt. Dit veroorzaakt een bepaalde weerstand, die remmend werkt op de snelheid die het voorwerp bezit. Er bestaat dus een snelheidsverschil tussen het voorwerp en de lucht. Het maakt daarom geen verschil of een voorwerp zich door de stilstaande lucht beweegt (windstil weer) of dat in een windtunnel lucht met dezelfde snelheid over het stilstaande voorwerp wordt geblazen. We spreken daarom van de relatieve snelheid van de luchtstroom, deze is gelijk, maar tegengesteld gericht aan de snelheid van het voorwerp (= - v).
De snelheid grijpt aan in het zwaartepunt van het voorwerp.

Aerodynamische krachten:

a.- weerstandskrachten,
b.-krachten die het gevolg zijn van luchtdrukverschillen aan weerskanten van het voorwerp.

a.- Weerstandskrachten.

- Frontale weerstand.
  Deze is afhankelijk van het frontale weerstandsvlak, d.i. de oppervlakte van het vlak, loodrecht op de relatieve luchtstroom. Bij een speer is dat het vlak waarvan de hoogte = AB (fig.133).

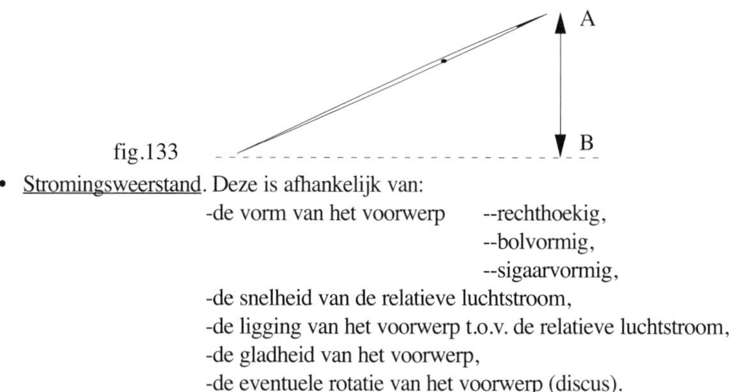

fig.133

- Stromingsweerstand. Deze is afhankelijk van:
  - -de vorm van het voorwerp
    - --rechthoekig,
    - --bolvormig,
    - --sigaarvormig,
  - -de snelheid van de relatieve luchtstroom,
  - -de ligging van het voorwerp t.o.v. de relatieve luchtstroom,
  - -de gladheid van het voorwerp,
  - -de eventuele rotatie van het voorwerp (discus).

Bij "backspin" moet de werklijn uiteraard het zwaartepunt aan de onderzijde passeren. Er treedt dan het spiegelbeeld op. De bal daalt langzamer. Het racket moet dan in neerwaartse richting langs de bal "vegen", loodrecht op de slagrichting.

Bij buitensporten kunnen de bovengenoemde afwijkingen van de parabolische curve versterkt of verzwakt worden door de atmosferische wind. Meewind (in de lengterichting van het veld) zal het "inswinger-effect" bij de corner versterken, tegenwind daarentegen afzwakken.
Meewind zal het "outswinger-effect" afzwakken, tegenwind daarentegen versterken.

Waarom is het resultaat verrassend?

- Door de luchtweerstand zal de translatiesnelheid afnemen.
- Door de continu werkende zijdelingse kracht zal loodrecht op de bewegingsrichting een versnelde beweging ontstaan. Daar ook de draaisnelheid door de luchtweerstand zal afnemen, zal dit een degressief versnelde beweging zijn.

De afnemende snelheid in de bewegingsrichting, in combinatie met de toenemende snelheid loodrecht op de bewegingsrichting, zal een min of meer parabolische (spiralige) baan opleveren.

Bij "sidespin" komt de bal steeds sneller in of draait de bal steeds sneller weg.
Bij "topspin" daalt de bal steeds sneller. Bij "backspin" daalt de bal steeds langzamer.
De beoordeling van de positie van de bal wordt daardoor zeer moeilijk.

Luchtwervelingen

Wanneer in een windtunnel een bal in een vaste stand (dus zonder rotatiemogelijkheid) wordt bevestigd en er een luchtstroom langs de bal wordt geblazen, kunnen we het volgende vaststellen:

- bij een geringe snelheid van de relatieve luchtstroom blijven de luchtlagen aangesloten en verenigen ze zich weer achter de bal (fig.137a),

- bij een wat hogere snelheid (fig.137b) kunnen de luchtdeeltjes, door de traagheids werking, het oppervlak van de bal niet volgen. De stroomlijnen laten op een bepaald punt het baloppervlak los. Achter de bal ontstaat een bepaalde terugstroming, een luchtwerveling. Dit wordt ook wel het "zog" genoemd.

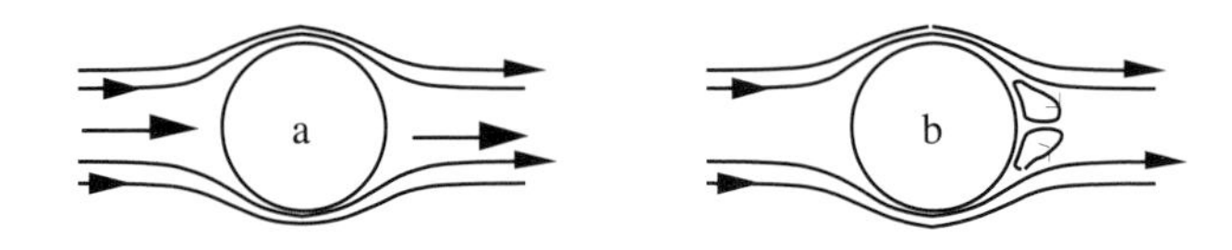

fig.137

Hetzelfde gebeurt in principe als de bal zich zonder rotatie door stilstaande lucht beweegt. De luchtwervelingen achter de bal veroorzaken een lagere druk. Hoe sterker het "zog", hoe sterker de onderdruk aan de achterzijde van de bal, hoe sterker aan de achterzijde van de bal wordt "gezogen". De luchtweerstand wordt daardoor groter. De luchtwervelingen achter de bal zijn onregelmatig van aard. De luchtstromen botsen daardoor onvoorspelbaar tegen de achterzijde van de bal. De baan van de bal gaat daardoor afwijken van de parabool, zowel in het horizontale, als in het verticale vlak. Dit zien we bijvoorbeeld bij de zogenaamde "floater" bij de volleybalservice. Een op deze wijze geserveerde bal is voor de tegenpartij moeilijk te verwerken.

- bij een nog hogere snelheid van de relatieve luchtstroom kunnen we constateren dat de stroomlijnen zich later van de bal losmaken. Het "zog" wordt kleiner, de aanzuiging achter de bal wordt minder, de weerstand neemt af. De afwijkingen van de parabolische curve nemen daardoor eveneens af.

Voorwaarden voor een "floater" zijn dus:

- een bepaalde snelheid, niet te laag, maar ook niet te hoog,
- géén rotatie van de bal (de bal dus "in het hart" raken).

In principe zal het bovenbeschreven verschijnsel zich altijd voordoen als een bal zich zonder rotatie door de lucht beweegt. Het effect van de baanafwijkingen is afhankelijk van:

- het baloppervlak,
- de gladheid van het oppervlak,
- naden in de bal,
- de soortelijke massa van de bal,
- de snelheid van de bal.

Zo zal dit effect afnemen in de rij: volleybal, tennisbal, cricketbal.

Het lift-effect.

Bij het speerwerpen hebben we, behalve met weerstandskrachten, te maken met de zogenaamde liftkracht. Om het lift-effect duidelijk te maken is het nodig de volgende punten te bespreken:

- drukpunt,
- werpwind en atmosferische wind,
- afwerphoek,
- neigingshoek,
- invalshoek van de relatieve luchtstroom, zowel positief als negatief,
- resulterende aerodynamische kracht uit weerstand en lift,
- speerkanteling,
- wanneer kanteling en lift.

Drukpunt

Zoals het zwaartepunt het aangrijpingspunt is van de zwaartekracht, zo is het drukpunt het aangrijpingspunt van de aerodynamische krachten.

Bij een voorwerp dat zich door de lucht beweegt zijn twee zaken van belang:

- in het zwaartepunt grijpen aan:	--de zwaartekracht, --de snelheid;
- in het drukpunt grijpen aan:	--de weerstandskrachten, --de liftkracht,d.i. een kracht als gevolg van een drukverschil.

Formeel moeten we onderscheid maken tussen het statisch drukpunt en het dynamisch drukpunt. Het statisch drukpunt wordt behandeld bij enkele hydro-dynamische verschijnselen. In de aerodynamica hebben we uitsluitend te maken met het dynamisch drukpunt. We duiden dit daarom aan met "het" drukpunt.

Het zwaartepunt van een star lichaam is een vast punt, onafhankelijk van de vraag of een lichaam in rust, dan wel in beweging is. Met het drukpunt is dit niet het geval. Dit verandert voortdurend van plaats, afhankelijk van:

-de snelheid van de relatieve luchtstroom,
-het frontale weerstandsvlak,
-de vorm van het lichaam,
-de gladheid, resp. ruwheid van het oppervlak.

Van belang is dit bij het speerwerpen en discuswerpen.

Speerwerpen

De vorm van de speer is niet zodanig dat grote verschuivingen van het drukpunt optreden. Bij de "oude" herenspeer en de huidige damesspeer verschuift het drukpunt zodanig dat het zowel voor als achter het zwaartepunt kan liggen.
Prestaties van meer dan 100 meter hebben ertoe geleid dat bij de heren een nieuw speertype is voorgeschreven, waarbij het drukpunt steeds achter het zwaartepunt ligt. Bij de dames is het speertype niet veranderd.

Werpwind en atmosferische wind

Als de lucht niet beweegt t.o.v. de grond, d.w.z. bij windstil weer, hebben we te maken met de relatieve snelheid van de luchtstroom. Deze wordt de werpwind genoemd.
Beweegt de lucht t.o.v. de grond, dan hebben we ook te maken met de zogenaamde atmosferische wind (tegenwind, rugwind, zijwind). Deze beïnvloedt uiteraard de snelheid en de richting van de werpwind.
In deze algemene beschouwing zullen we ons beperken tot de werpwind. Wilt u meer weten over de invloed van de atmosferische wind bij het werpen van speer of discus, zie dan het deel aerodynamica van "atletiek 2, lopen en werpen", Leeuwenhoek, Verschoor, Van Heek.

De afwerphoek

Onder de afwerphoek verstaan we de hoek die de afwerpsnelheid maakt met de grond op het moment dat de speer wordt losgelaten. De relatieve luchtstroom heeft dan een even grote maar tegengesteld gerichte snelheid als de afwerpsnelheid (fig.138).

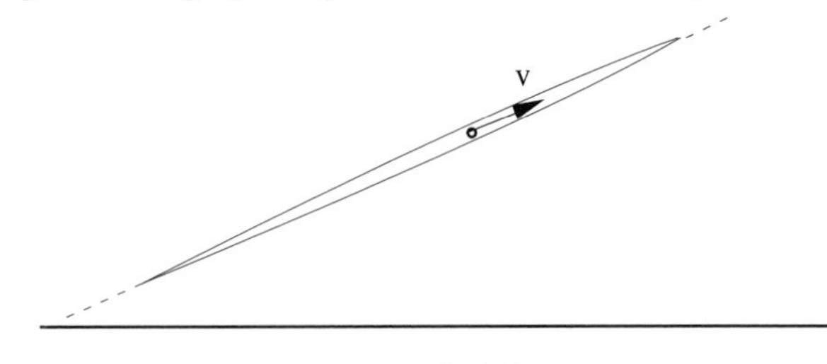

fig.138

De neigingshoek

Dit is de hoek die de lengteas van de speer maakt met de grond op het moment dat de speer wordt losgelaten (fig.139).

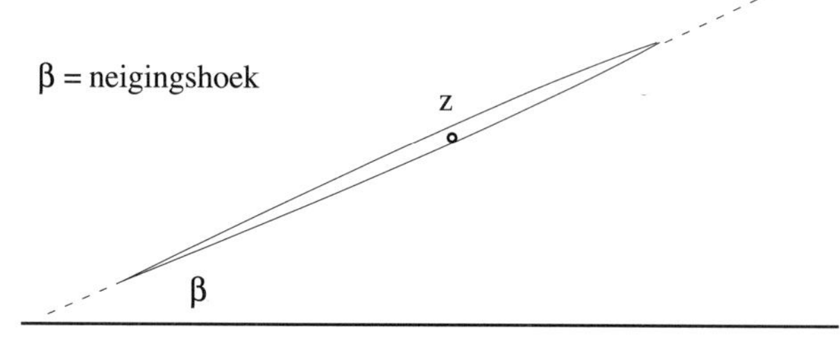

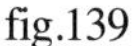
fig.139

De invalshoek van de relatieve luchtstroom

Is op het moment van afwerpen de neigingshoek ß gelijk aan de afwerphoek ∂, dan maakt de richting van de relatieve luchtstroom een hoek van 0° met de lengteas van de speer. We spreken dan van een invalshoek van 0°. Dit is het geval in figuur138.
De invalshoek wordt ook wel aanvalshoek of aanstroomhoek genoemd. Is de neigingshoek ß groter dan de afwerphoek ∂, dan botst de relatieve luchtstroom tegen de onderzijde van de speer. We spreken dan van een positieve invalshoek (fig.140).

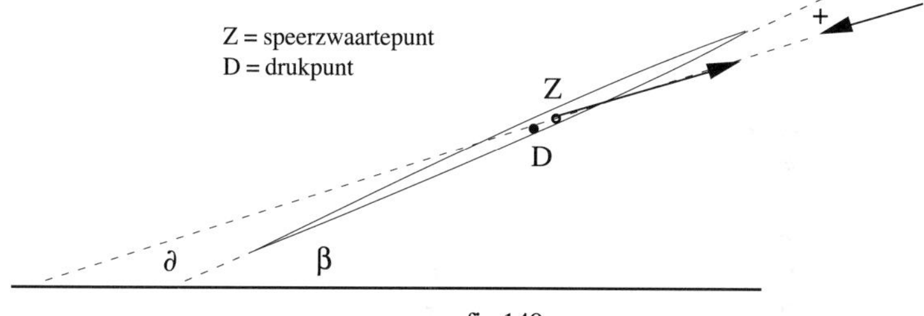

fig.140

Is de neigingshoek ß kleiner dan de afwerphoek ∂, dan botst de relatieve luchtstroom tegen de bovenzijde van de speer. We spreken dan van een negatieve invalshoek ∂ (fig.141).

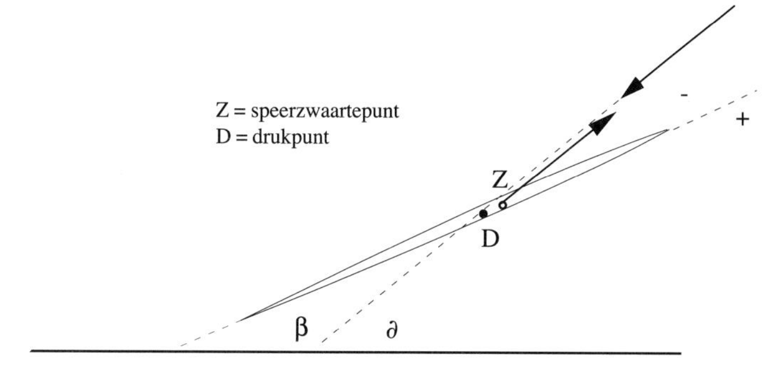

fig.141

Wat gebeurt er tijdens de vlucht van de speer?

Als bij de afworp de invalshoek 0° is, is er op dat moment een minimale luchtweerstand. De speer wordt dan "vol" geraakt in de richting van de speerschacht.
Zodra de speer de hand verlaten heeft, verandert de richting van de speersnelheid (dus ook de richting van de relatieve luchtstroom) voortdurend. Immers, de speersnelheid werkt volgens de raaklijn aan de parabolische kogelbaan. De hoek die de speersnelheid tijdens het verloop van de parabool met de bodem maakt wordt kleiner, is op de top van de parabool 0° en wordt in de dalende curve toenemend negatief. Direct nadat de speer de hand heeft verlaten wordt daarom de invalshoek van de relatieve luchtstroom positief.
Als de speer dezelfde neigingshoek zou houden, zou een steeds grotere positieve invalshoek ontstaan. Dat dit niet gebeurt komt doordat de speer in voorwaartse richting gaat kantelen. Deze kanteling loopt dus achter op de toename van de positieve invalshoek van de relatieve luchtstroom.
Onder normale omstandigheden wordt hierdoor gedurende de gehele vlucht een positieve invalshoek gehandhaafd.

De resulterende aerodynamische kracht

Bij het speerwerpen bestaan de aerodynamische krachten uit:

- weerstandskrachten: frontale -en stromingsweerstand,
- de liftkracht.

Genoemde krachten grijpen aan in het drukpunt, zodanig dat (fig.142):

- de totale weerstand (F_1) in de richting van de relatieve luchtstroom werkt;
- de liftkracht (F_2) loodrecht op de richting van de relatieve luchtstroom werkt. Deze liftkracht ontstaat door een drukverschil tussen de lucht die tegen de onderzij de van de speer botst en de wervelende lucht aan de bovenzijde van de speer.

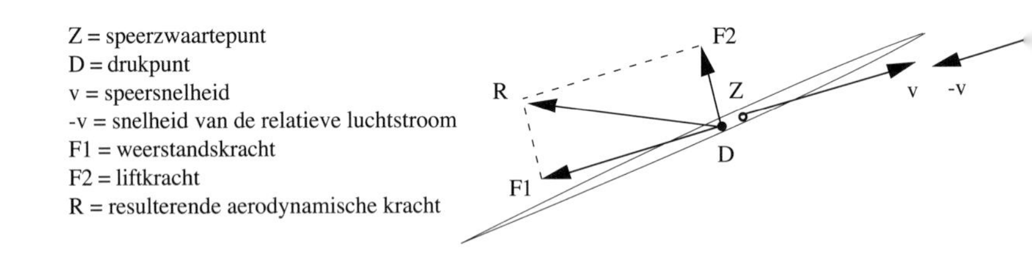

fig.142

De liftkracht werkt loodrecht op de relatieve luchtstroom, vlakt daardoor de parabolische curve af en houdt de speer dus langer in de lucht. Als de speersnelheid niet te sterk afneemt door de weerstandskrachten, zal de langere zweeftijd leiden tot een beter werpresultaat. De resultante R van F_1 en F_2 is de resulterende aerodynamische kracht.

De kanteling van de speer

Uit voorgaande figuur nemen we uitsluitend R, Z en D over (fig.143). We ontbinden nu R in 2 componenten:
P_1 in de richting van schacht van de speer en P_2 in verticale richting.

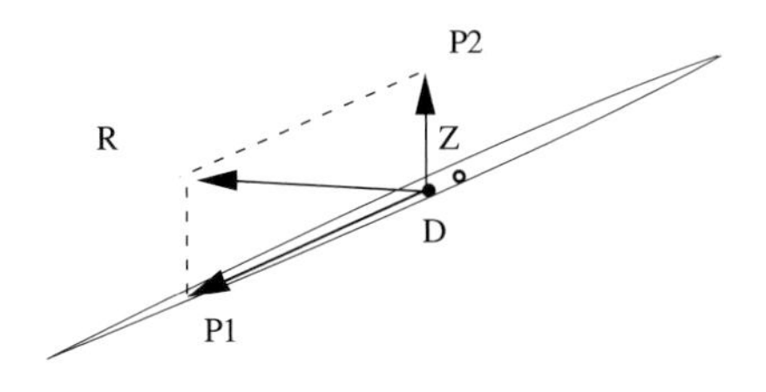

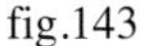

fig.143

De werklijn van P_1 loopt door D en Z en kan dus noch kanteling, noch lift leveren. P_2 grijpt aan in D, achter het zwaartepunt. Uit het "biljartbaleffect" weten we dat hierdoor een combinatie van translatie en rotatie ontstaat. In fig.144 is alleen P_2 uit de vorige figuur overgenomen.

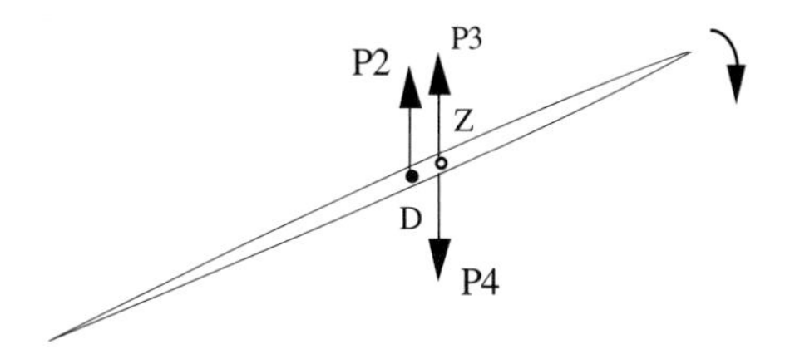

fig.144

P_3 levert de liftkracht, P_2 , P_4 levert het koppel dat de speer doet kantelen. Het lifteffect is nu ook beter te concretiseren. P_3 grijpt aan in Z en werkt tegengesteld aan de zwaartekracht. De resulterende verticale kracht wordt kleiner, terwijl de massa gelijk blijft. De valversnelling g wordt kleiner (F=m.a, dus F_z =m.g): de speer blijft langer in de lucht, de zweeftijd wordt langer, de prestatie (onder normale omstandigheden) beter.

Wanneer ontstaan kanteling en lift?

Er kan alleen kanteling (in voorwaartse richting) en lift optreden als de invalshoek van de relatieve luchtstroom positief is. Een negatieve invalshoek (fig.145)heeft als gevolg:

- een aanvankelijke achteroverkanteling van de speer

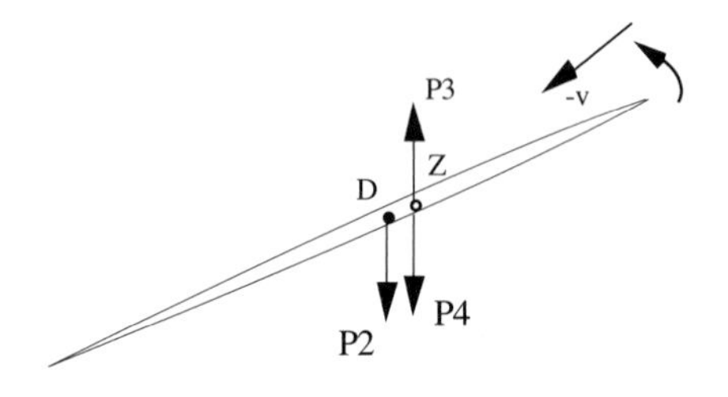

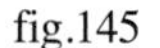
fig.145

- Het spiegelbeeld van lift. De luchtstroom botst tegen de bovenzijde van de speer en er ontstaat een luchtwerveling aan de onderzijde.
  Het resultaat is een drukverschil, waardoor de speer naar beneden wordt gedrukt.
  Pas wanneer in het verloop van de parabolische curve de invalshoek weer positief wordt, gaan kanteling voorover en positieve lift weer optreden.

Het Bernoulli-effect

Als een luchtstroom tegen een voorwerp botst wordt die luchtstroom gescheiden in een gedeelte dat langs de bovenzijde van het object stroomt en een gedeelte dat langs de onderzijde stroomt.
De luchtstroom bezit een continuïteit, zodat de beide stromen gelijktijdig het achtereinde van het voorwerp bereiken.
Is de weg langs de bovenkant langer dan die aan de onderzijde, dan zal de stroomsnelheid aan de bovenzijde hoger zijn dan aan de onderzijde. De wet van Bernoulli luidt nu: bij grotere snelheden van de luchtstroom een lagere druk en omgekeerd: bij lagere snelheden een hogere druk.
Zo ontstaat bij een vliegtuigvleugel (fig.146), door zijn vorm, een hogere druk aan de onderzijde en een lagere druk aan de bovenzijde. Er ontstaat door het drukverschil een "zuigwerking", waardoor de vleugel wordt "gelift".

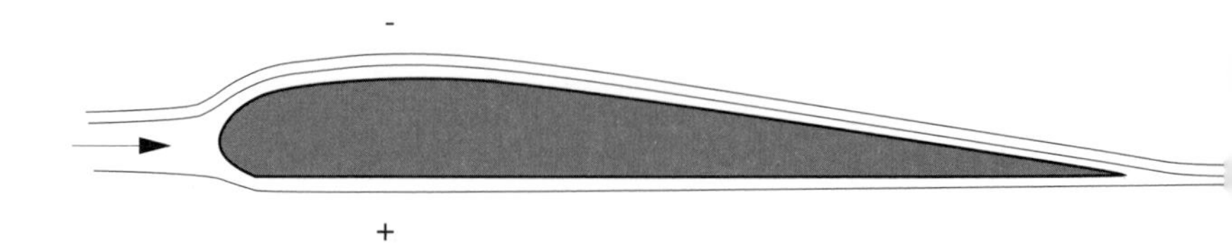

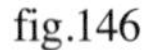
fig.146

Het Bernoulli-effect treffen we in de sport bijvoorbeeld aan bij het discuswerpen, skeet, frisbeewerpen en zeilen. Het principe is steeds dat de luchtstroom die de ene zijde van het voorwerp volgt een langere weg aflegt dan de luchtstroom die aan de andere zijde passeert.

Discuswerpen

De discus is, in tegenstelling tot een vliegtuigvleugel, een symmetrisch voorwerp, waar, bij een invalshoek van 0°, geen liftwerking kan optreden als gevolg van de wet van Bernoulli. Bij een positieve invalshoek echter is dit (in bescheiden mate) wel het geval. De luchtstroom botst dan tegen de onderzijde van de discus (fig.147).

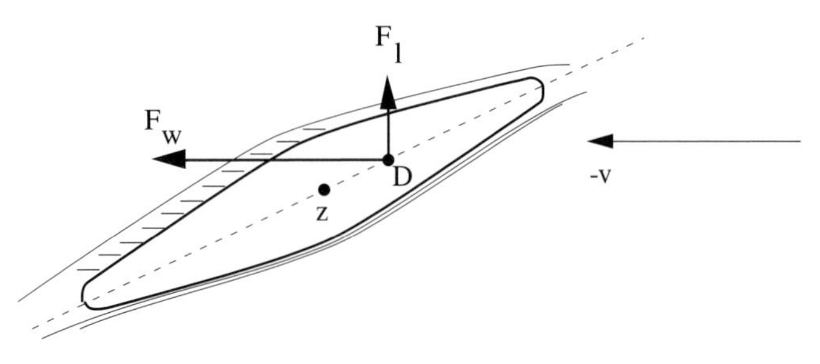

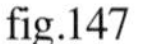
fig.147

De luchtstroom die langs de onderzijde van de discus stroomt, volgt de kortste weg. De stroom langs de bovenzijde volgt een langere weg. Dit laatste is te verklaren uit de massatraagheid van de luchtdeeltjes. Ze willen in principe rechtdoor en kunnen het bovenvlak niet geheel volgen. De weg van de bovenstroom wordt langer dan die van de onderstroom. Er ontstaat een snelheidsverschil dat resulteert in een drukverschil tussen de onderzijde (+) en de bovenzijde (-) van de discus. De discus krijgt hierdoor lift.

Rotatie van de discus om zijn polaire as

Bij de afworp wordt aan de discus een rotatie meegegeven om een as, loodrecht op het discusvlak. Deze wordt de polaire as genoemd. Deze rotatie speelt een belangrijke rol bij het stabiel blijven van de discus tijdens de vlucht. Door de traagheidswerking van de materie heeft de draaiingsas de neiging dezelfde stand in de ruimte te blijven innemen.

Wanneer lift?

Evenals bij het speerwerpen kan er ook bij het discuswerpen alleen sprake zijn van lift bij een positieve invalshoek van de relatieve luchtstroom. Deze ontstaat direct na de afworp, omdat de discus zijn stand in de ruimte handhaaft (rotatie) en de richting van de relatieve luchtstroom verandert (fig.148).

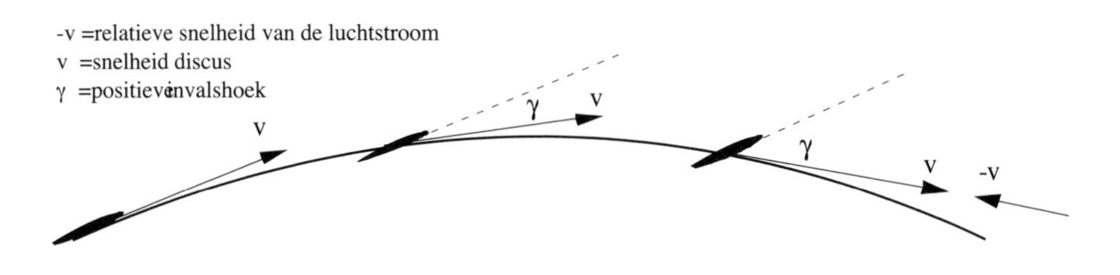

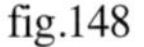
fig.148

In het eerste deel van de vlucht is daarom lift aanwezig. Zodra de positieve invalshoek een bepaalde waarde overschrijdt (ongeveer 30°), neemt de liftwerking als gevolg van het Bernoulli-effect snel af. De continuïteit van de luchtstromen wordt verbroken, er gaan

luchtwervelingen aan de bovenzijde ontstaan. De discus is "overtrokken", de lift neemt af. Het zal duidelijk zijn dat in het verloop van de vlucht het frontale weerstandsvlak groter wordt en de weerstand daardoor toeneemt.
In het eerste deel van de vluchtbaan overheerst het positieve lift-effect, op een bepaald punt echter gaat het negatieve weerstandseffect overheersen. In het eerste deel van de vluchtbaan is dus sprake van een positieve afwijking van de parabool, in het tweede deel van en negatieve afwijking.

Skeet, frisbee en zeilen

Bij de kleiduif, de frisbee en het zeilen (bij "scherp" varen) gebeurt in principe hetzelfde. De luchtstroom aan de ene kant volgt een langere weg dan aan de andere kant (traagheidswerking van de luchtdeeltjes), waardoor een drukverschil ontstaat (fig.149.: kleiduif, frisbee).

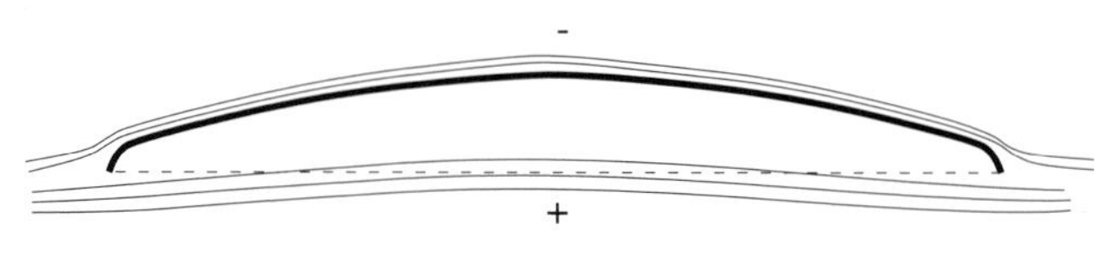

fig.149

Hierdoor ontstaat bij bij de kleiduif en de frisbee een liftwerking, bij het zeilen een voorwaartse stuwing. Bij de frisbee kan door de geringe massa en het grote oppervlak de liftkracht groter worden dan de zwaartekracht, waardoor het voorwerp sterk gaat stijgen.

12 Hydrodynamica

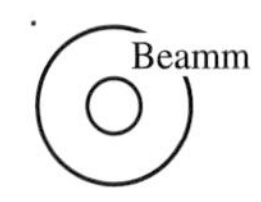

Enkele onderwerpen uit de hydrodynamica, die bij de analyse van sportbewegingen relevant zijn.

Opwaartse druk

Wanneer een lichaam in het water drijft (zonder translatie), ondervindt dit lichaam een opwaartse druk, gelijk aan het gewicht van de verplaatste watermassa. Daar er in de drijvende situatie evenwicht bestaat, is het gewicht van het lichaam gelijk aan de opwaartse druk. Het gedeelte van het getekende houten blokje, dat onder de waterspiegel ligt is afhankelijk van de dichtheid van het hout en het water. Als de dichtheid van het hout 0,7 is en de dichtheid van het water 1, dan zal 7/10 deel onder de waterspiegel liggen en 3/10 deel boven de waterspiegel (fig.150).

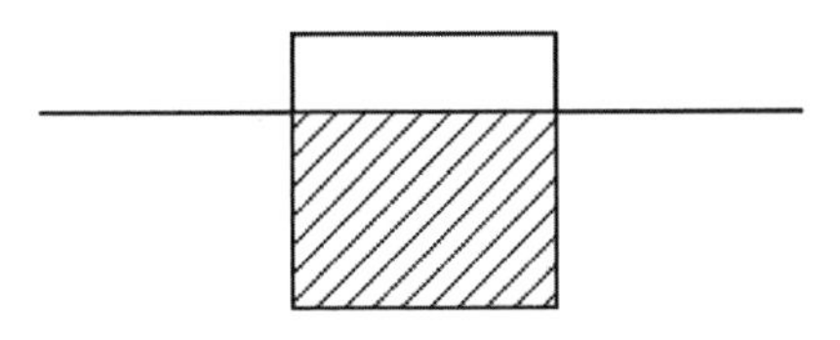

fig.150

Zout water heeft een dichtheid die groter is dan 1. Dat betekent, in dit geval, dat een groter deel boven de waterspiegel zal liggen. Vertaald naar het zwemmen betekent dit dat men in zout water gemakkelijker drijft en dus gemakkelijker zwemt.

Statisch drukpunt of volumemiddelpunt

Het gewicht van het getekende houten blokje is gelijk aan het gewicht van de verplaatste watermassa (de gearceerde rechthoek). Daar het gewicht van het gearceerde deel aangrijpt in zijn zwaartepunt, zal de opwaartse druk aangrijpen in het punt D (fig.151).

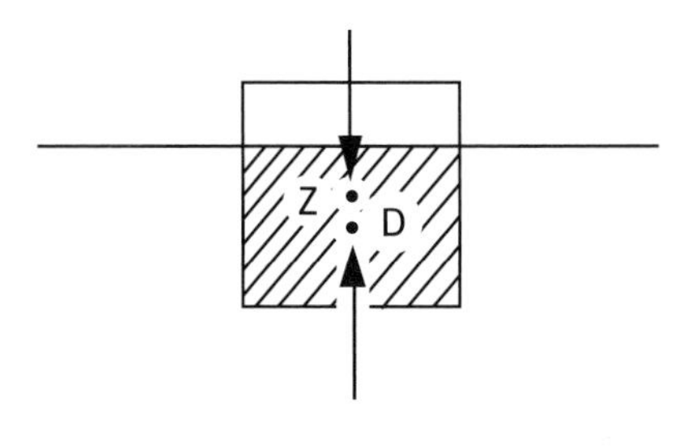

fig.151

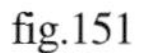

D wordt het statisch drukpunt of het volumemiddelpunt genoemd. Z is het zwaartepunt of massamiddelpunt. De zwaartekracht F_Z , aangrijpend in Z is gelijk aan de opwaartse druk, aangrijpend in D. De beide krachten werken in de getekende stand tegengesteld langs dezelfde werklijn. Er is dus evenwicht.

Metastabiel evenwicht

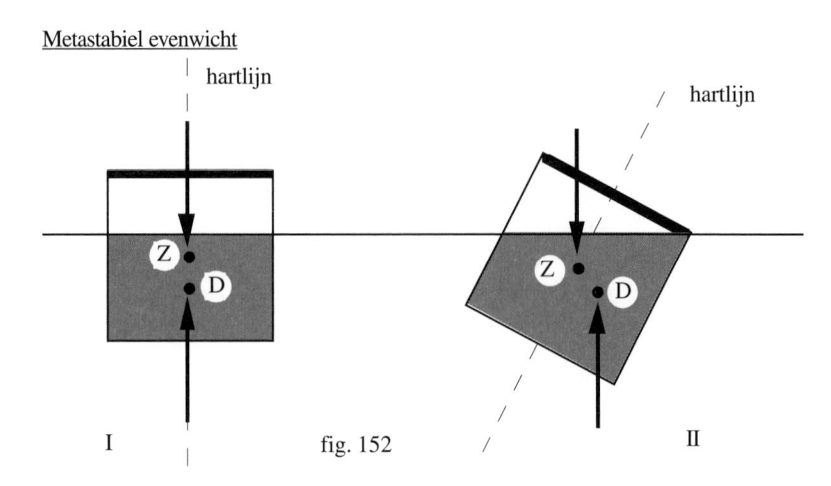

fig. 152

Het zwarte streepje (fig.152) geeft duidelijk de bovenkant aan van het blokje. De stippellijn is de zogenaamde hartlijn. Vertaald naar een schip is dit dus het "vlak door de mast". Brengen we het blokje van stand I in stand II, dan houdt Z zijn zelfde positie, D echter verschuift naar rechts. Immers, D is het zwaartepunt van de verplaatste watermassa (het gearceerde deel). Er ontstaat een koppel dat het blokje terugdraait in stand I.

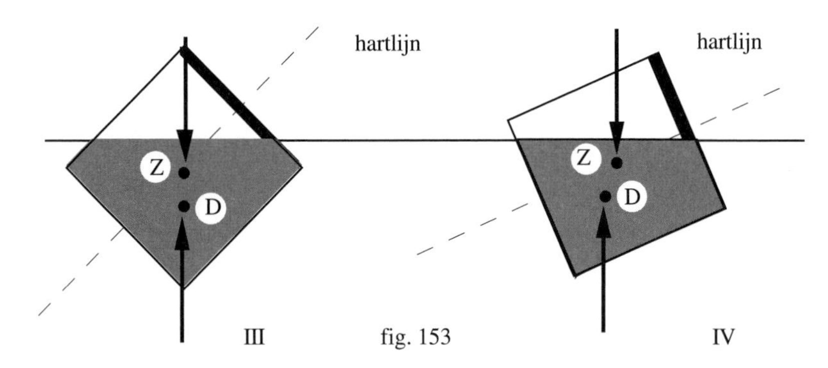

fig. 153

Brengen we het blokje (fig.153) verder uit zijn evenwichtstoestand (stand III), dan is er nog juist evenwicht. Overschrijden we stand III, dan zien we in stand IV dat het koppel het blokje doet kantelen. Vertaald naar een schip betekent dit dat het schip kapseist. Van I tot III is het evenwicht dus stabiel, in stand III is de evenwichtstoestand labiel, in stand IV is het evenwicht verbroken. We hebben te maken met een toestand van metastabiel evenwicht.

Het metacentrum

Tot nu toe hebben we ons bepaald tot het zwaartepunt (het massamiddelpunt) en het statisch drukpunt (het volumemiddelpunt). Voor de stabiliteit van een lichaam bij het drijven is een derde punt van groot belang: het metacentrum.

Keren we terug naar stand II uit de vorige paragraaf en verlengen we de werklijn van de opwaartse druk tot deze de hartlijn snijdt, dan hebben we met punt M het metacentrum gevonden (fig.154). In stand II ligt het zwaartepunt onder het metacentrum. In stand III vallen zwaartepunt en metacentrum samen. In stand IV komt het zwaartepunt boven het metacentrum te liggen.

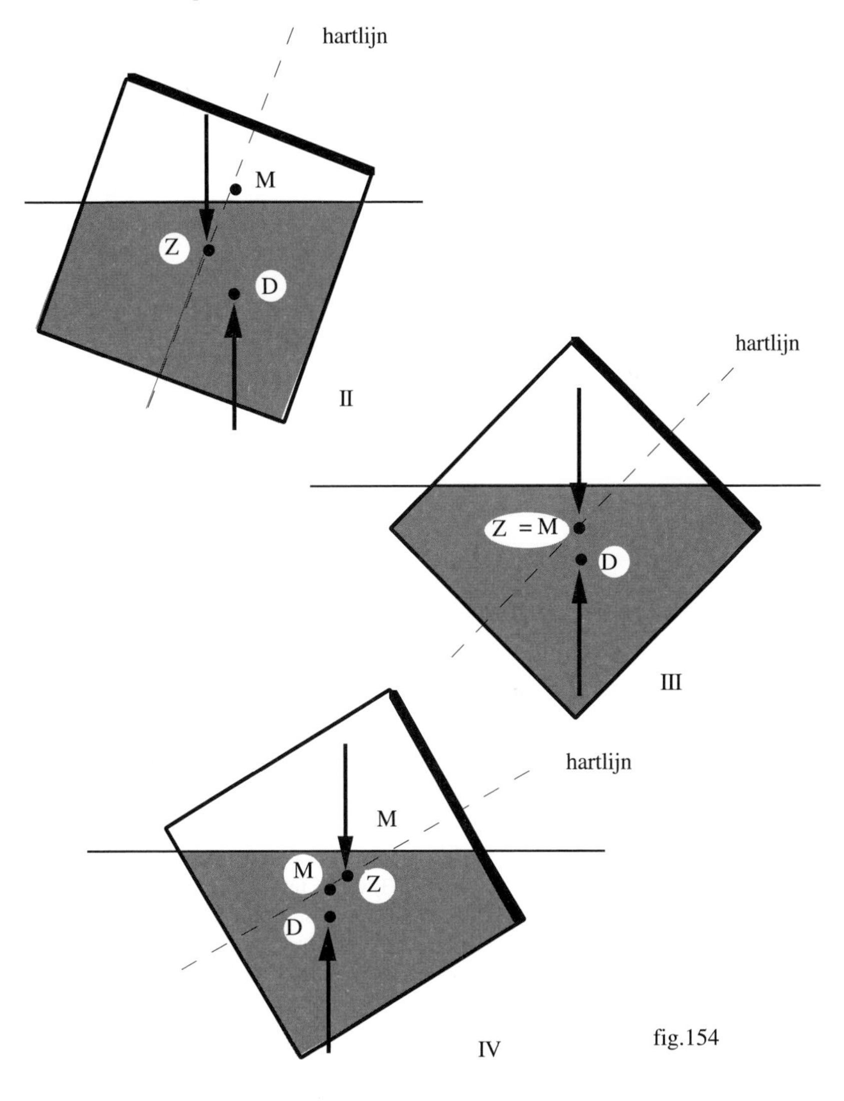

fig.154

Conclusies:

- Zo lang het zwaartepunt onder het metacentrum ligt is er (meta) stabiel evenwicht.
- Wanneer het zwaartepunt en metacentrum samenvallen is het kapseispunt bereikt. Er is nog net labiel evenwicht.
- Zodra het zwaartepunt boven het metacentrum komt te liggen is het evenwicht ver broken: het blok slaat om (kapseist).
- Hoe verder het zwaartepunt onder het metacentrum ligt, hoe groter de stabiliteit.

Van groot belang is het bovenstaande voor schepen. Wij bepalen ons tot de zeilboot. Het bovenstaande vertaald naar de zeilboot levert het volgende beeld (155):

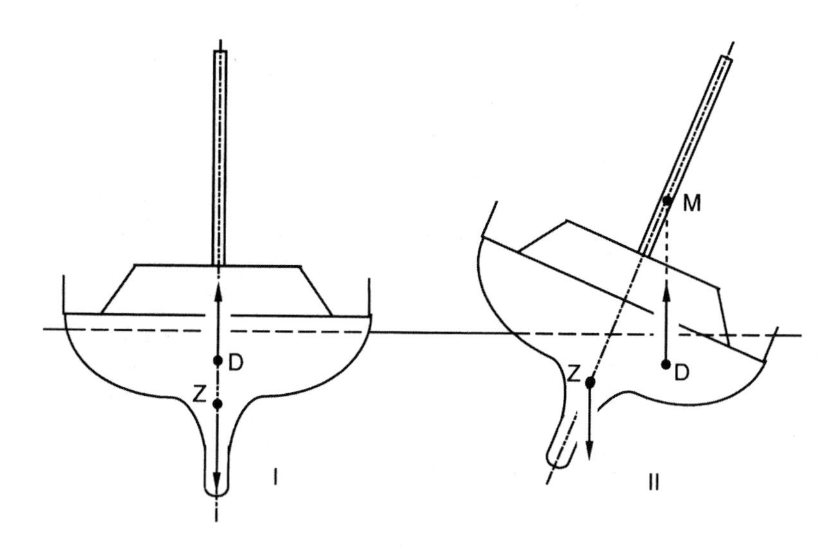

fig.155

Door de kiel te verzwaren, wordt een lage zwaartepuntsligging verkregen en daardoor een grote stabiliteit.

Beamm

Een zwevend lichaam

Als de dichtheid van lichaam en vloeistof gelijk is, bijvoorbeeld bij water = 1, dan drijft het lichaam niet, maar zweeft. In de getekende situatie vallen zwaartepunt, statisch drukpunt en metacentrum samen (fig.156). Er heerst indifferent evenwicht.

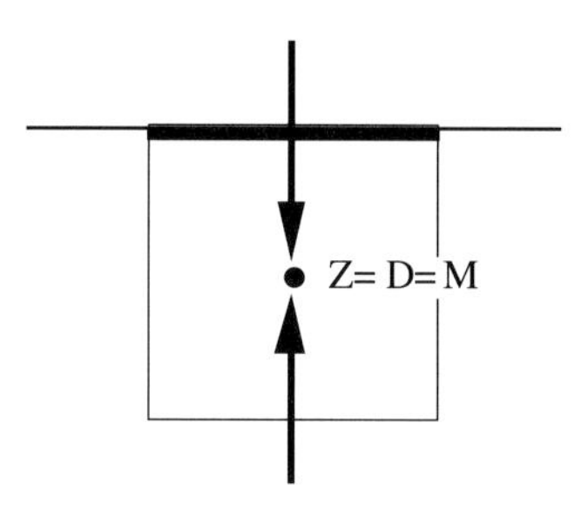

fig.156

De ligging van het menselijk lichaam in het water

Het menselijk lichaam is geen homogeen lichaam, zoals het blokje dat we steeds als model hebben genomen. Het is opgebouwd uit weefsels met een verschillende dichtheid (bot, spieren, vet, met lucht gevulde longen). De totale dichtheid varieert individueel. Sommige mensen zinken, als ze passief in het water liggen (dichtheid groter dan 1), sommigen drijven net aan bij diepe inademing, anderen drijven moeiteloos (dichtheid kleiner dan 1). Gemiddeld is de dichtheid iets kleiner dan 1, zodat er nog net van drijven sprake is. Er zal zich echter slechts weinig lichaamsmassa boven water bevinden.

Door de verdeling van de weefsels met verschillende dichtheid over het gehele lichaam, zal het zwaartepunt (het massamiddelpunt) t.o.v. het statisch drukpunt (het volumemiddelpunt) meer dorsaal en caudaal gelegen zijn, d.w.z. meer naar de rugzijde en naar de zijde van de voeten.

Zeilen

Bij het zeilen (hier halve wind) zal, bij een bepaalde helling van de boot, een evenwichtssituatie worden bereikt (fig.163):

- de windkracht grijpt aan in het drukpunt van het zeil. De boot krijgt daardoor de neiging zich zijwaarts te gaan verplaatsen. De kiel en de zijkant van de boot oefenen een actie uit op het water. Het water levert een reactiekracht. Er ontstaat een koppel met de wijzers van de klok mee (-).
- zwaartekracht en opwaartse druk leveren een koppel tegen de wijzers van klok in (+).

Als deze koppels dezelfde waarde hebben is een evenwichtssituatie bereikt.

Als de windkracht minder wordt, wordt het negatieve koppel kleiner. De helling wordt minder, D komt dichter bij Z te liggen, de arm van het positieve koppel wordt kleiner, het koppel neemt af, tot een nieuwe evenwichtssituatie is bereikt.

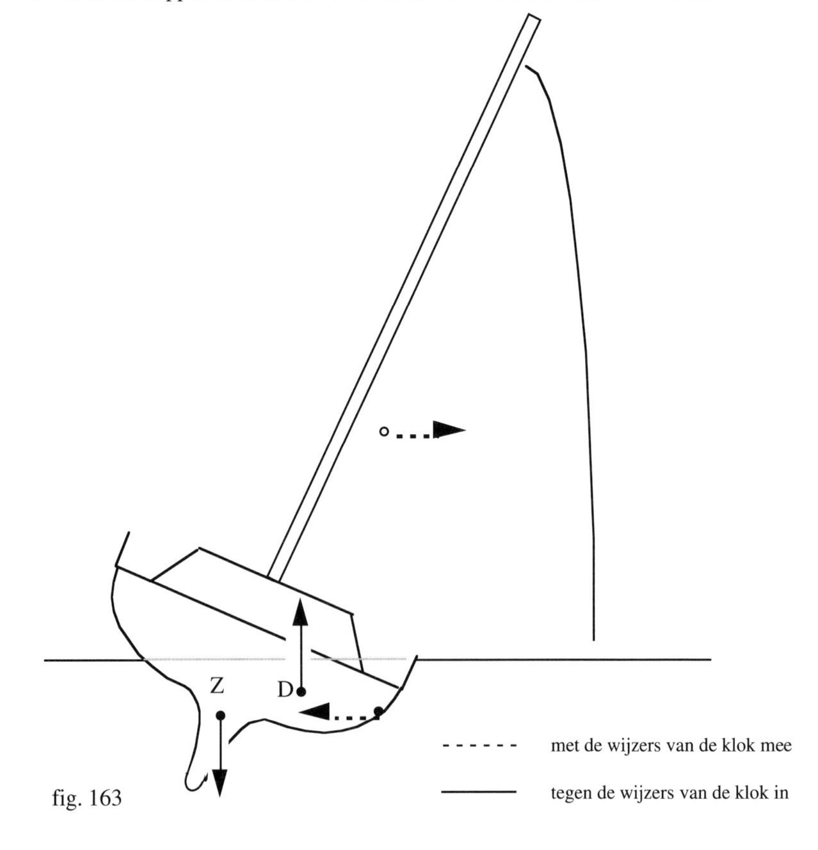

fig. 163

eenheden en snelheden

Eenheden

mechanische grootheden	symbool	eenheid
Arbeid	W	J (joule) = Nm
Versnelling	a	$m/s^2 = ms^{-2}$
Draaimoment	M	J = Nm
Energie	E	$J = kg.m^2/s^2 = kg.m^2.s^{-2}$
Snelheid	v	$m/s = ms^{-1}$
Impuls	I	$kgm/s = kg.m.s^{-1}$
Kracht	F	$kgm/s^2 = kg.m.s^{-2} = N$
Vermogen	P	Watt (W) = $J/s = Nm/s = J.s^{-1} = Nm.s^{-1}$
Massa	m	kg
Versnelling zwaartekracht	g	$9{,}81\ m/s^2 = 9{,}81\ m.s^{-2}$
Traagheidsmoment	J	kgm^2
Tijd	t	s
Hoeksnelheid	ω (omega)	$rad/s = rads^{-1}$
Hoekversnelling	ß	$rad/s^2 = rads^{-2}$
Rotatie-energie		J = Nm
Hoeveelheid beweging		$kg.m/s = kg.m.s^{-1}$
Hoeveelheid rotatie		$kg.m^2/s = kg.m^2.s^{-1}$
Impulsmoment		$Nms = Js = kg.m^2/s = kg.m^2.s^{-1}$

Voorbeelden van gemiddelde snelheden (in m/s en km/u)

	m/s	km/u
Wandelen	1,4	5
Marathon	5	18
Roeien ("acht")	6	21,6
1500 m lopen	7	25,2
1500 m borstcrawl	1,4	5
100 m sprint (lopen)	10	36
1000 m sprint (fiets)	15	54
Postduif	20	72
Afworp van een discus	24	86
Renpaard	25	90
Hard getrapte voetbal	28	100
Afdaling bij skiën	33	120
Tennisopslag	65	234
Geleidingssnelheid zenuw	100	360
Geweerschot	870	3132

antwoorden

pagina 20

1	5,81 m/s
2	27 min 47 sec
3	1 min 06,67 sec
4	14,8 m/s
5	6 km
6	11,4 m/s
7	33,8 sec
8	a. $\sqrt{2}$ sec = 1,4 sec b. $10\sqrt{2}$ m/s = 14 m/s
9	a. 0,5 sec b. 5 m/s
10	1,25 m
11	a. 50 m/s b. 125 m
12	a. 12 m/s b. 27 m
13	a. 5 sec b. 25 m
14	a. 5,7 sec b. 114 m
15	a. 2,9 sec b. 29 m
16	a. 2 sec b. 20 m c. 2,1 sec d. 21 m/s
17	a. 32 m b. 16 m/s c. 64 m d. 86 m e. 6 m/s f. 110 m

18 zie pagina. 17, 18 en 19.

19 a. $v_4 = \tan \partial = 32 : 2 = 16$ (m/s)
b. $v_8 = \tan ß = 24 : 4 = 6$ (m/s)

20

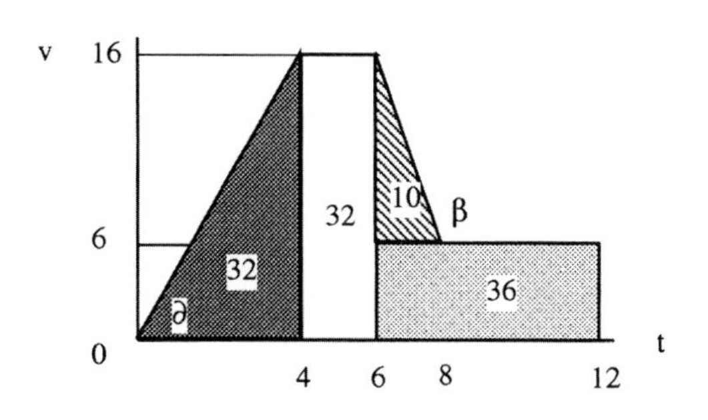

21 a. $32 + 32 + 10 + 36 = 110$ m
b. $a = \tan \partial = 16 : 4 = 4$ (m/s^2)
c. $a = \tan ß = 10 : -2 = -5$ (m/s^2)

22 zie pagina 17, 18 and 19

23 a. 75 m
b. 13 m/s
c. 76 m
d. 29 m/s
e. 84 m
f. 145 m
g. 380 m

24 zie pagina. 18

25 a. v = tan ∂ = 75 : 3 = 25 (m/s)
b. v = tan ß = 145 : 5 = 29 (m/s)

26 zie pagina. 20

27 a. oppervlakte = 75 + 24 + 52 + 32 + 52 + 145 = 380 m
b. a = tan ∂ = 12 : -4 =-3 (m/s^2)
c. a = tan ß = 16 : 4 = 4 (m/s^2)

28 zie pagina 22

29 a. 16 m
b. 8 m/s
c. 40 m
d. 2 m/s^2
e. 15 m
f. 55 m

30 zie pagina. 18
a. v = tan ∂ = 24 : 3 = (8 m/s^2)

31 zie pagina 20
a. oppervlakte = 16 + 24 + 9 + 6 = 55 m
b. a = tan ∂ = 8 : 4 = 2 (m/s^2)
c. a = tan ß = 6 : -3 = -2 (m/s^2)

32 zie pagina 22

pagina 35

1 a. 80 m/s^2
b. 11,2 $m/^s$

2 0,5 m/s^2

3 a. 0,45 m/s^2
b. 21,1 sec
c. 9,5 m/s

4 a. 0,45 m/s^2
b. 66,7 sec
c. 30 m/s

pagina 46

1 a. 80 000 J
b. 111,1 W
c. 0,14 m/s

3 a. 0
b. 5 m
c. 2500 J
d. 2500 J
e. 10 m/s
f. 2 rad/s
g. 1000 N
h. 1500 N

4 a. 21,8 rad/s
b. 3,5 omw/s
c. 1047 N

5 a. 12,6 rad/s
b. 2 omw/s
c. 2198 N

6 a. 600 N
b. 2,40 m
c. 1440 J
d. 1440 J
e. 6,9 m/s
f. 5,8 rad/s
g. 2400 N
h. 3000 N

pagina 60

1 a. zweeftijd = 2 sec
b. stijghoogte = 5 m
c. werpafstand = 34,60 m

2 a. zweeftijd = 3,5 sec
b. stijghoogte = 15 m
c. werpafstand = 34,60 m

3 a. zweeftijd = 2,56 sec
b. stijghoogte = 8,19 m
c. werpafstand = 39,42 m

4 a. zweeftijd = 3,08 sec
b. stijghoogte = 11,86 m
c. werpafstand = 39,42 m

5 zie pagina 60

6 45°

7 werpafstanden bij hoeken die samen 90° zijn, zijn gelijk

8 a. zweeftijd = 3,64 sec
b. stijghoogte = 16,90 m
c. slagafstand = 66,25 m

pagina 63

1 a. zweeftijd = 1,54 sec
b. stijghoogte = 4,05 m
c. werpafstand = 11,86 m

2 6,30 m

3 8,56 m

4 1,80 m

5 2,24 m

6 7,16 m

pagina 74

1 a. zie pagina 64
b. 707 N

2 a. zie pagina 64
b. 500 N

3 a. zie pagina 64
b. 130 N

4 a. zie pagina 65
b. 500 N

5 a. zie pagina 66
b. 700 N

N.B. Contoleer 6 t/m 18 steeds op juistheid met de momentenstelling

6 a. zie pagina 66
b.1000 N

7 a. bepaal eerst de resultante R_1 van 100 N en 300 N
dan de resultante van R_1 en 500 N
b. 900 N

8 a. zie 7a
b. 900 N

9 a. zie 67
b. 200 N

10 a. zie 67
b. 450 N

11 a. bepaal eerst de resultante R_1 van 100 N en 200 N
dan de resultante van R_1 en 300 N
b. 400 N

12 a.als 11a
b. 450 N

13 a. pas de momentenstelling toe t.o.v. punt S
b. 100 N

14 a. actie = - reactie zie pagina 66
b. 200 N en 400 N

15 a. zie 14a
b. 500 N en 300 N

16 a. pas de momentenstelling toe t.o.v. het draaipunt (de voeten)
b. 500 N

17 a. pas de momentenstelling toe t.o.v. het draaipunt (de wieltjes)
b. 333 N

18 a. als 17a
b. 250 N

pagina 83

1 a. 16 min 40 sec
b. 59 N
c. 177 000 J
d. 177 W
e. 2,20 m
f. 2,20 m
g. 129,8 J
h. 721 N

2 a. verandert niet
b. 69 N
c. 207 000 J
d. 207 W
e. verandert niet
f. 3,30 m
g. 227,7 J
h. 1265 N

pagina 86

1 a. 40 m/s^2
b. 8 m/s

2 4325 N

3 a. 3 m/s
b. 280 N.s
c. 700 N

4 a. 82,5 N
b. 500 m/s^2

5 a. 148,5 N
b. 900 m/s^2

6 a. 264 N
b. 1600 m/s^2
c. de materie, grenzend aan het contactvlak, kan de enorme versnelling niet volgen.

7 a. zie pagina 59; $\partial = 45^o$
b. 264 N
c. 1600 m/s^2
d. als 6c

pagina 90

1 elk massadeel ondervindt een zwaartekracht F
de zwaartekracht werkt verticaal
dus 5 evenwijdige krachten
werk als op blz 76-7

2 werk als op blz 75-5

3 350 N, 70 N en 280 N
-werk als op blz 76-7

pagina 111

1 a. 13 rad/s
b. 2451 N
c. 29 kgm^2
d. 377 J.s

2 wordt 3x zo groot

3 wordt 4x zo groot

4 wordt 2x zo groot

5 wordt 2x zo klein of 0,5 zo groot

6 0,45 kgm^2

7 a. wordt 3x zo groot
b. wordt 9x zo groot
c. wordt 27x zo groot

8 4930 J

9 a. 125 J
b. 18,75 J.s
c. 2,34 kgm^2

10 10 t/m 27 komen ter sprake bij de betreffende vakdiscipline's

literatuur

G. Bäumler	Sportmechanik
D.D.Donskoi	Grundlagen der Biomechanik
G.Dyson	The mechanics of athletics
J.G.Hay	The biomechanics of sportstechniques
G.Hochmuth	Biomechanik sportlicher Bewegungen
G.J.van Ingen Schenau	Biomechanica
J.Jardin	Natuurkunde doen
H.Lindeman, G.H.Frederik	Leerboek der natuurkunde
G.L.Ludolph	Leerboek der mechanica
H.C. Moll	Leerboek der biomechanica
J.H.O.Reys	Leerboek van de menselijke mechanica
J.Scheltens	Inleiding tot de biomechanica
F.Schuh, W.J.Vollewens	Nieuw leerboek der mechanica
J.Schweers	Natuurkunde
J.M.Seroo	Inleiding in de biomechanica van het spierstelsel
H.Söll	Biomechanik in der sportpraxis
S.Timoschenko, D.H.Young	Technische mechanica

CD-ROM info

Om Beamm goed te kunnen weergeven moet u eerst 2 lettertypen aan Windows toevoeg

Dit hangt af van het besturingssysteem dat u heeft.

Bijvoorbeeld

Windows XP: via startmenu naar instellingen, naar configuratiescherm, naar lettertypen (fonts), naar bestand, naar nieuw lettertype toevoegen. Bij stations uw cd-rom aanwijze Op de cd-rom Beamm bevindt zich een map lettertypen, deze openen, vervolgens alles selecteren aanklikken en op OK klikken.

Windows 7: De map lettertypen op de CD "BEAMM" openen, vervolgens met de rechtermuisknop op het lettertype klikken en kiezen voor lettertype installeren. Deze handeling 2x verrichten voor beide lettertypen.

Mochten bij het openen van Beamm de lettertypen uit beeld lopen, dan zijn de lettertyp niet juist geïnstalleerd. Doe dit dan opnieuw.

Om het programma te starten moet u **1 start Beamm.exe** dubbelklikken.